Arena-Taschenbuch
Band 1579

Klas E. Everwyn, 1930 geboren, wurde mit dem Deutschen Jugendliteraturpreis für das Arena-Buch »Für fremde Kaiser und kein Vaterland« ausgezeichnet.

Diese – offenbar an einen realen Fall anschließende – Story wird spannend und mit einer größeren Anzahl psychologisch differenzierter und vielfach sehr kritisch gesehenen Figuren erzählt. Es handelt sich um einen in eine schlüssige Handlung umgesetzten Erkenntnis- und Lernprozess, der deutlich werden lässt, welches »wahre Spiel« hinter der Fassade des massenbegeisternden »Sports« gespielt wird. Dies geschieht, ohne dass die Geschichte je belehrend wird.
DIE ZEIT

Klas E. Everwyn

Fußball ist unser Leben

Auf der Auswahlliste zum
Deutschen Jugendliteraturpreis

Arena

In neuer Rechtschreibung

5. Auflage als Arena-Taschenbuch 1997

Reihenkonzeption: Karl Müller-Bussdorf
Umschlagillustration: Bernhard Hartlieb
Gesamtherstellung: Westermann Druck Zwickau GmbH
ISSN 0518-4002
ISBN 3-401-01579-6

1

Als Franz Schäfer an diesem Tag von seiner Arbeit nach Hause kam, erwartete ihn eine große Überraschung. Kaum dass er seine Aktentasche – in der natürlich keine Akten, sondern ein leerer Henkelmann verstaut war – an ihren gewohnten Platz hinter dem Wohnzimmerschrank gestellt hatte, sagte seine Mutter: »Da hat ein Herr Lauterbach für dich angerufen.« Sie sagte das eher beiläufig, während sie nebenan in der kleinen Küche das Abendbrot richtete.

Franz dagegen elektrisierte der Name. Er fuhr förmlich aus seiner gebückten Haltung auf und rief: »Hennes Lauterbach?«

»Seinen Vornamen hat er nicht genannt«, antwortete seine Mutter. »Kennst du ihn?«

»Und ob«, Franz ging auf die Küchentür zu und lehnte sich gegen den Türrahmen. »Das ist ein ganz berühmter Mann. Nationalspieler, wenigstens bis zur letzten Weltmeisterschaft. Hat er irgendwas gesagt?«

»Ja, du sollst zurückrufen. Hier hab ich irgendwo seine Nummer aufgeschrieben.« Sie kramte einen zerknüllen Zettel aus ihrer Schürzentasche hervor und hielt ihn Franz hin. Der riss ihn ihr fast aus der Hand.

»Ich bin zum Öffentlichen«, rief er noch und hatte schon die Wohnung verlassen, befand sich auf dem Weg die Dorfstraße hinunter zur Bäckerei Marenbach, wo sich der öffentliche Fernsprecher des Dorfes befand. Natürlich hatten sie zu Hause, eine Wohnung in einem umgebauten Fachwerkhaus, kein Telefon. Seine Eltern hätten auch gar nicht gewusst, wofür sie sich einen Anschluss hätten legen lassen sollen; sein Vater war

Rangiermeister bei der Bundesbahn und kannte wahrscheinlich niemanden, der ihn oder den er einmal anrufen würde.
Franz dagegen hätte gern ein Telefon gehabt. Besonders in letzter Zeit häuften sich die Gelegenheiten anzurufen oder auch angerufen zu werden, seit sie mit ihrer Mannschaft, der A-Jugend des SV Höhe, mit um die Deutsche Jugendmeisterschaft spielten. Da wurde er von seinem Trainer angerufen wegen eines geänderten Trainingstermins, von dem Vereinsvorsitzenden, Herrn Kirschbaum, der gleichzeitig sein Arbeitgeber war, um ihm zu sagen, er brauche am nächsten Tag nicht zur Arbeit zu erscheinen, er gebe ihm einen freien Tag.
Jedesmal musste er dann zum öffentlichen Dorffernsprecher bei Marenbachs laufen, nachdem der Bäckerlehrling geschickt worden war, um ihn ans Telefon zu rufen. Das waren immerhin hundert Meter und es war schon vorgekommen, dass der Mann am anderen Ende der Leitung inzwischen aufgelegt hatte und er zurückrufen musste. Das kostete dann sein Geld und das ärgerte ihn.
Dieser Anruf war aber etwas anderes. Diesmal hatte nicht sein Trainer, nicht sein Vereinsvorsitzender angerufen, sondern der ehemalige Nationalspieler und jetzige Rechtsaußen der Borussia, Hennes Lauterbach. Er stammte hier aus der Gegend, genauer aus Eibach. Das lag nur etwa zehn Kilometer von Schmalkotten, seinem Dorf, entfernt und Hennes Lauterbach war der berühmteste Mann der Gemeinde. Ab und zu kam er auch zu den Spielen des SV Höhe, besonders aber in letzter Zeit, seit feststand, dass die A-Jugend sich an den Deutschen Jugendmeisterschaften beteiligen würde.
Schon während der Vorrunde, als es erst um die Verbands-, dann um die Regionalmeisterschaft gegangen war, tauchte er mit seinem lederfarbenen Gesicht auf ihrem Sportplatz auf und zeigte seine großen Ohren, weswegen er auch seinen Spitznamen »das Ohr« trug. Man fragte sich bereits, was er wohl mit seinen Besuchen bezweckte.

Aber Herr Kirschbaum, der Möbelfabrikant aus Höhe, hielt sich etwas darauf zugute, diesen berühmten Fußballspieler so oft begrüßen zu können, und jedesmal griff er sich das Mikrofon und ließ es auch die übrigen Besucher des Sportplatzes wissen, dass Hennes Lauterbach anwesend war.
Jetzt hatte er ihn angerufen und Franz rannte mit klopfendem Herzen durchs Dorf, hatte eben den weiß getünchten Bau erreicht, in dem sich Marenbachs Bäckerei befand, stieß die Tür auf, eine Klingel schepperte laut und rief: »Ich bin's, Franz. Will nur eben telefonieren«, und hatte schon den Hörer von der Gabel des Wandapparats gehoben, hielt den zerknüllten Zettel mit der Telefonnummer in der zitternden Hand und begann zu wählen.
Eine Nummer aus der Stadt der Borussia, das würde ihn eine Menge Geld kosten, aber daran dachte Franz in diesem Augenblick nicht. Er fühlte nur die Bedeutung dieses Anrufs, das Besondere, das ihm dadurch widerfuhr. Denn von Hennes Lauterbach angerufen und zu einem Rückruf angehalten zu werden, konnte nur bedeuten, dass eben dieser Hennes Lauterbach oder sogar die ruhmreiche Borussia etwas mit ihm, Franz Schäfer und Linksaußen eines Dorfvereins aus dem Bergischen Land, im Schilde führte.
Der Rufstrom ging hinaus und Franz wartete, während ihm die Hand feucht wurde, in der er den Hörer hielt. Und dann geschah es: plötzlich war eine Stimme an seinem Ohr, die klar und deutlich den berühmten Namen aussprach: »Lauterbach.«
Franz musste erst schlucken, bis er überhaupt einen Ton der Entgegnung herausbrachte. Es geschah ja nicht alle Tage, dass man mit einem Nationalspieler am Telefon sprach, besonders dann nicht, wenn man eben siebzehn Jahre alt war, aus Schmalkotten stammte und für einen Sportverein Höhe von 1908 Fußball spielte.
Zwar war dieser Verein in letzter Zeit in die Zeilen der Sportzeitungen geraten, wurde wegen seiner »konsequenten

Jugendarbeit, die ein Verdienst des bekannten Möbelfabrikanten Kirschbaum ist«, gelobt und ab und zu mit dem SV Alsenborn verglichen, einem Dorfverein aus der Pfalz, der eines Tages auch dank seiner ebensolchen konsequenten Aufbauarbeit eines ehrgeizigen Vorstands sein dörfliches Dornröschendasein aufgab und kometenhaft aufstieg, bis sein Name nach einigen erfolgreichen Jahren ebenso kometenhaft wieder verlosch. Darauf war Herr Kirschbaum sehr stolz und er vergaß nicht, dieses Presselob bei jeder sich bietenden Gelegenheit zu erwähnen.

»Hier ist Schäfer«, hatte Franz längst in den Hörer gesprochen und damit einen freudigen Ausruf auf der anderen Seite hervorgerufen. »Prima«, sagte Lauterbach, »fein, dass du zurückrufst. Wie läuft's denn so bei euch?«

»In der Mannschaft?«, fragte Franz und hört sein Herz pochen. »Da läuft's zur Zeit natürlich ganz ausgezeichnet. Nach dem Spiel vom letzten Sonntag.« Am letzten Sonntag hatte seine Mannschaft ihr erstes Spiel um die Jugendmeisterschaft gegen Grün-Weiß 04 auf deren Platz gemacht und ein 1:1 erreicht. Am kommenden Wochenende wäre nun das Rückspiel auf dem Platz des SV Höhe. Aber dazu würde der Verein natürlich das Buschrother Stadion anmieten, denn für ein solches Spiel reichte ihr dürftiger Aschenplatz oben auf der Höh, wie er genannt wurde, nicht aus. Immerhin erwartete der Verein einige tausend Zuschauer und eine entsprechende Einnahme.

»Ich hab euch gesehen«, sagte Lauterbach. »Das war 'ne taktische Meisterleistung. Alle Achtung. Und dann natürlich dein Tor, Franz. Klasse.«

Sein Herz tat einen gewaltigen Sprung. Jetzt, so fühlte er, würde bald das Geheimnis dieses Anrufs gelüftet werden, jetzt musste es bald so weit sein.

»Und das war auch der Anlass dich anzurufen«, sagte Lauterbach dann auch.

»Was?«, fragte Franz, dehnte das Wort, als sei er tatsächlich überrascht, aber er war es schon nicht mehr. Ihm war klar, was nun zu folgen hatte, und er konnte es gar nicht mehr erwarten, dass Lauterbach endlich den Satz aussprach.

»Ja«, sagte der Mann am anderen Leitungsende, »wir haben uns gedacht, einer, der so tolle Tore schießen kann, der müsste doch auch Lust haben, bei uns ein Probetraining zu machen. Was meinst du?«

»Probetraining?«, rief Franz. »Ich soll zu euch rüberkommen?«

»Nach den Spielen natürlich, aber du sollst es jetzt schon wissen. Streng dich deshalb an, halte deine Leistung, wenn du weißt, was ich damit meine.«

»Na klar«, rief Franz. Vor Aufregung hätte er beinahe den Hörer fallen lassen. Ihm klingelten die Ohren: Probetraining! Das war doch nicht zu fassen. Er musste gleich unbedingt zu Karin.

»Und bitte kein Wort zu irgendjemandem«, sagte Lauterbach.

»Ganz bestimmt nicht«, antwortete Franz und wusste genau, dass er diese Neuigkeit nicht würde für sich behalten können.

»Wenn's so weit ist, rufe ich dich an oder ich komme vorbei, falls ich in der Nähe bin. Muss ja ab und zu meinen Alten besuchen und der wohnt ja noch in Eibach.«

»Ja, prima«, Franz fiel überhaupt nichts mehr ein. Er wollte nur so schnell wie möglich das Gespräch beenden, um zu Karin zu laufen. Was die wohl sagen würde?

»Also dann, tschüs, Franz.«

»Tschüs, Hennes«, rief Franz. Und dann fiel ihm heiß ein: Ob er diesen berühmten Fußballspieler überhaupt duzen durfte, ihn mit Vornamen anreden durfte? Ihm brach der Schweiß aus. Hoffentlich hatte er keinen Fehler gemacht. Aber hier in der Gegend, aus der ja auch Hennes Lauterbach stammte, redete man sich allgemein mit »du« und dem Vornamen an, gleichgültig, wie alt man war.

Er legte den Hörer auf die Gabel und erkannte im selben

Augenblick auf der Wendeltreppe über sich Hermann Marenbach. Der Bäcker in seiner weiß-verschmierten Arbeitskleidung, einsneunzig groß, blond und dürr, hielt sich mit einer Hand am Geländer, mit der anderen am Podest des ersten Stockwerks fest: eine groteske Figur. Er reizte Franz zum Lachen. »Mensch, Hermann«, sagte er und prustete los.

Hermann Marenbach kam langsam herunter. »Was ist denn mit dir los?«, fragte er mit seiner hohen Fistelstimme, deretwegen man ihn im ganzen Dorf hänselte. »War das dieser berühmte Lauterbach?«

»Ja, stell dir vor«, schoss es auch Franz hervor, »die wollen ein Probetraining mit mir machen. Aber halt bloß die Klappe.«

»Ehrenwort«, sagte Hermann. Er überragte Franz noch um eine Handbreit, obwohl auch Franz mit seinen einsachtzig ziemlich groß für einen Linksaußen war. Aber gegen Hermann sah jeder klein aus. »Steht denn schon fest, wann du überkommen sollst?«

»Sobald wir mit unseren Spielen fertig sind. Ja, jetzt muss ich aber schleunigst weiter. Das muss ich erst mal Karin verklickern. Was kriegste für das Gespräch?«

»Das schenk ich dir«, sagte Hermann und machte eine wegwerfende Handbewegung. »Mit zukünftigen Profis muss man sich gut halten.« Sie lachten beide. Franz klapste Hermann, der immerhin zehn Jahre älter war als er, auf die Schulter und verließ eilig den Bäckerladen. Hinter ihm schepperte die Türglocke, dann befand er sich wieder auf der Dorfstraße.

Natürlich würde Hermann nicht den Mund halten, das war Franz klar: aber ihm war es gleichgültig. Mochte das ganze Dorf drüber reden, damit jeder erführe, wozu er in der Lage war. Man riss sich um ihn. Und für ihn gab es gar keinen Zweifel darüber, ob er das Probetraining bestand oder nicht. Das war keine Frage. Einen besseren Linksaußen in seinem Alter als ihn gab es nicht. Das sagte jeder, der ihn spielen sah. Am vergangenen Sonntag hatte er ein Mordstor bei Grün-Weiß geschossen, das Bild von seinem Torschuss hatte sogar in der Zeitung gestanden. Darüber die Überschrift: »Wir sind stolz auf unsere Jungens!«

Karins Eltern bewohnten eines der neuen Häuser am Dorfrand. Ihr Vater war Angestellter bei der Gemeindeverwaltung und hatte das Grundstück vor ein paar Jahren preiswert erworben, als Draufgabe sozusagen für seine Bereitschaft, in Eibach Dienst zu tun. Eigentlich stammten sie aus einem Ort am Rhein, von wo sich Karins Vater hatte versetzen lassen. Nun wohnten sie schon ein paar Jahre hier und Franz hatte Karin auf einem der Höher Fußballfeste im Zelt kennengelernt. Er wusste damals, dass sie ebenso in Schmalkotten wohnte wie er, und das gab ihm einen gewissen Vorteil den anderen Spielern seiner Mannschaft gegenüber, die genau wie er besonders die fremden Mädchengesichter unter die Lupe nahmen, weil man dahinter etwas Besonderes vermutete. Im Übrigen war sie hübsch, hatte schwarzes Haar und braune Augen und als Franz mit ihr tanzte, war ihm ganz mulmig zumute geworden. Dass er sie dann allerdings nach Hause bringen durfte, verdankte er dem Umstand, dass er sein Mofa bei sich hatte.

Er fuhr sie also nach Hause und er spürte ihre Arme um seinen Leib, während er krampfhaft versuchte, die Straße im Auge zu behalten. Er hielt dann in gehöriger Entfernung vor ihrem Haus, stellte das Mofa beiseite und nahm sie einfach in die Arme. Ihr Mund war warm und weich gewesen. Es war alles ganz einfach. Von diesem Zeitpunkt an gingen sie miteinander.

Schließlich stand er vor dem Haus und klingelte, hörte die schon wohlvertrauten Schritte von Karins Mutter und dann stand sie vor ihm und er sagte, noch etwas außer Atem: »Tag, Frau Wünsche, ist Karin da?« Diesen Satz leierte er fast Tag für Tag herunter, ehe er eintrat und meist gleich die Treppe zu ihrem Zimmer hinaufstieg.

»Tag, Franz«, sagte Frau Wünsche. »Komm rein, ja, sie ist

oben.« Die Frau in dem Kittel machte eine deutende Handbewegung und schloß hinter ihm die Tür. »Bleibst du zum Abendbrot?«, rief sie noch hinter ihm her, während er auf der gewundenen Treppe ins obere Stockwerk war.

»Nein, danke«, rief er zurück. »Ich glaube, meine Mutter wartet schon auf mich. Ich will Karin nur was ganz Wichtiges sagen«, und er hastete weiter, war schon auf dem oberen Flur und stieß die Tür zu ihrem Zimmer auf. Sie hatte den Plattenspieler laufen, lag auf dem Bett und blätterte in einer Illustrierten.

»Franz!« Sie schrie das Wort fast und sprang auf, fiel ihm um den Hals. Sie küssten sich, aber Franz machte sich gleich los. Denn nun musste es heraus: »Du«, sagte er und holte tief Luft, »eben hat mich der Lauterbach angerufen . . .«

»Lauterbach?«, unterbrach sie ihn.

»Ja, der Nationalspieler von der Borussia, du weißt doch.«

Karin kannte sich in diesen Dingen genauso aus wie er, schließlich spielte auch sie Fußball; denn der SV Höhe hatte vor etwa einem Jahr auch eine Damen-Fußballmannschaft gegründet und Karin war ihr Torwart. Wenn sie samstags spielten, stand Franz meist hinter ihrem Tor und versuchte ihr so etwas wie ein Stellungsspiel beizubringen. »Geh in die kurze Ecke!«, rief er dann, oder: »Winkel verkürzen!« oder: »Fausten!« Für ein Mädchen war das alles bedeutend schwieriger, aber Karin machte es einen ungeheuren Spaß.

»Was wollte der denn?«, fragte sie jetzt, sie machte ein ernstes Gesicht; ihre eben noch sichtbare Fröhlichkeit schien aus ihrem Gesicht gewichen.

»Die haben mich für ein Probetraining zu sich bestellt, stell dir das vor!«, jubelte er und wunderte sich, dass Karin nicht in den gleichen Jubel ausbrach.

»Ach«, sagte sie nur, ließ die Arme sinken und wandte sich wieder ihrem Bett zu, wo sie den Plattenspieler abstellte. Plötzlich war es sehr still in dem Zimmer.

»Freust du dich denn gar nicht?«, fragte er. Enttäuschung breitete sich in ihm aus. Was war denn los mit ihr? Sie hatten doch schon oft über die Möglichkeit miteinander gesprochen und er hatte nicht den Eindruck gehabt, als sei es Karin unangenehm, wenn er irgendwann einmal einen Lizenzspielervertrag bekommen würde. Auch sie wusste schließlich, dass er mit seinem Können beim SV Höhe an der falschen Adresse war, wenn er weiterkommen wollte.

»Natürlich freu ich mich für dich.« Sie versuchte ein Lächeln.

»Für mich?«, fragte er. »Wieso für mich? Das geht dich doch genauso an. Was ist denn los mit dir?« Er hockte sich auf den Boden und umfasste ihre Knie. »Karin«, sagte er, seine Stimme klang weich. »Komm, sag mir, was los ist.«

»Ich weiß es auch nicht. Irgendwie passt mir das nicht.« Sie griff mit einer Hand unter seinen Arm und zog ihn zu sich hoch. »Setz dich neben mich.« Er erhob sich und setzte sich neben sie auf das niedrige Bett. Er war ratlos. Seine Freude versiegte.

»Aber was denn, du liebe Zeit!«, rief er. »Das ist doch für mich *die* Chance!«

»Das weiß ich doch auch. Vielleicht hab ich bloß Angst.«

»Angst? Wovor denn?« Seine Stimme hatte etwas Beschwörendes.

»Wegen uns, weshalb denn sonst. Dann gehst du weg und ich sitze hier, kann auf dich warten. Dieser Gedanke gefällt mir nicht.«

»Aber wir haben doch schon so oft darüber gesprochen. Dass du davor Angst hast, davon ist nie die Rede gewesen. Nie.«

»Ich wollte dir die Freude nicht verderben und dann stand das auch noch gar nicht fest. Jetzt wird's wohl ernst. Aber stör dich doch nicht an mir, Fränzchen.« Sie strich ihm übers lange krause Haar, hielt eine Strähne fest und legte sie ihm um die Nase. Sie lachte sogar wieder. »Geh du ruhig zu deinem Probetraining zur Borussia. Damit ist ja auch noch gar nichts entschieden.«

»Na bitte«, sagte er, nahm ihr die Strähne mit einem Ruck des Kopfes aus der Hand. Er war jetzt etwas ärgerlich. Was stellte sich Karin eigentlich vor? Er konnte doch nicht ewig bei diesem Höher SV bleiben. Dazu war er sich denn doch zu schade. Auch wenn Herr Kirschbaum, der Vereinsvorsitzende, ihnen goldene Berge versprach und sie zu halten versuchte, damit endlich auch aus der ersten Mannschaft des Vereins, der in der Bezirksklasse spielte, etwas wurde. Der träumte ja immer noch von einem Aufstieg in die Landes- und Verbandsliga, wenn nur erst diese Jugendmannschaft, in die er eine Menge Geld investiert hatte, so weit wäre. Sie kamen fast alle aus anderen Klubs; Franz hatte früher beim Ballspielverein Schmalkotten gespielt, war bei Hiestermann in Dristetten in der kaufmännischen Lehre gewesen, bevor eines Tages Fritz Tümmler, der Trainer des SV Höhe, bei ihm auftauchte und ihn überredete, nach Höhe zu kommen. Er hatte sogar seine Lehrstelle verlassen, denn Herr Kirschbaum hatte schon für eine neue in seinem Betrieb gesorgt. Jetzt machte er dort seine Lehre zu Ende, in einem halben Jahr sollte die Prüfung sein. Ob er das schaffte, wusste Franz noch nicht, weil er seit etwa drei Monaten fast nur noch trainierte. Herr Kirschbaum gab ihm dafür frei.
Er saß da und schaute sich in dem Zimmer um. So etwas wie Wehmut überfiel ihn, denn dieses Zimmer war schon zu einem Teil ihres gemeinsamen Lebens geworden. Hier fühlte er sich wie zu Hause, denn Karins Eltern hatten nichts gegen ihre Freundschaft, hatten nicht einmal etwas dagegen, wenn sie sich auf dieses Zimmer zurückzogen, wo sie ungestört blieben. »Besser hier als draußen«, hatte ihre Mutter gesagt. »Ihr tut's ja doch.« Sie hatte Karin sogar die Pille besorgt, nachdem sie miteinander darüber gesprochen hatten, wie es um sie und Franz stand. Das war alles ziemlich unkompliziert gewesen und sie hatten sich in diesem Zustand des Verstehens sehr wohl gefühlt.
Seine Eltern waren darin ganz anders. Denen hätte er so was

gar nicht erzählen dürfen. Die wussten auch nichts davon, dass er mit auf Karins Zimmer ging, wenn das Wetter schlecht war oder auch wenn es nicht gar so schlecht, sondern ihnen einfach danach zumute war.

»Ich glaube, ich muss jetzt gehen«, sagte er und stand wieder auf. »Meine Mutter wartet sicher schon mit dem Essen auf mich. Ich musste ja so schnell weg, weil ich den Hennes anrufen sollte.«

»Jetzt bist du enttäuscht.« Sie nahm seine Hand, aber er entzog sie ihr und ging auf die Tür zu, wo er noch einmal stehen blieb und sich zu ihr umwandte. Vielleicht tat es ihr schon leid, dass sie so eigenartig auf seine Freudesbotschaft reagiert hatte; vielleicht hatte sie auch nur schlechte Laune, eine Auseinandersetzung mit ihrem Chef in der Spielwarenabteilung des Buschrother Kaufhauses gehabt, wo sie Verkäuferin war und von wo sie eben erst nach Hause gekommen sein musste. Er fand eine Menge Entschuldigungen für sie.

»Ach was«, sagte er deshalb und winkte ab. »Schon vorbei. Hoffentlich auch bei dir. Das machen wir schon, verlass dich drauf. Und zudem ist ja auch noch gar nicht heraus, ob die mich nehmen.«

»Sag ich mir ja auch.« Sie lachte ihn an.

»Aber eins muss klar sein, Karin«, er war ganz ernst. »Ich muss meine Chance haben. Das musst du mir lassen, verstehst du. Der Fußball, weißt du, das ist nämlich mein Leben. Das ist nicht nur so 'n Hobby für mich, da kann ich was draus machen. Und ich will's mit dir zusammen.«

»Natürlich«, sagte sie. »Ich versteh dich schon.«

»Das ist prima.« Auch er lächelte jetzt wieder, ohne dass die Freude zurückgekehrt wäre, die er eben noch empfunden hatte, als er auf dem Weg zu ihr war. Es hatte sich zwischen ihnen etwas geändert, spürte er. »Tschüs, bis später.«

»Kommst du gleich noch vorbei?«

»Ich weiß noch nicht«, sagte er und ging.

2

Der Trainer hatte recht: es lag am Mittelfeld, dass sie nicht zu ihrem Spiel fanden. Franz streckte seine langen schlaksigen Beine aus und schloss die Augen.

»Schieß ein Tor, Franz«, sagte der Trainer, der an der Tür stand und ihnen zusah, wie sie auf den Bänken der Kabine herumhockten, heißen Tee aus den Tassen schlürften, Limo-Flaschen an den Mund setzten und versuchten, ein wenig neue Kraft zu tanken. Die ersten 45 Minuten waren mörderisch gewesen bei dieser Hitze und dann in diesem Stadionkessel, den sie nicht gewöhnt waren.

Franz zuckte mit den Schultern ohne die Augen zu öffnen. Als wenn das so einfach wäre hier ein Tor zu machen. Sie hatten wenigstens ein 0:0 gehalten und das gegen den haushohen Favoriten der gesamten Meisterschaft, noch dazu auf dessen Platz. Aber viel würde ihnen der Widerstand nicht nützen, denn das erste Spiel hatten sie schon 0:1 zu Hause im Buschrother Stadion gegen den VfB verloren, und um weiterzukommen, hätten sie hier mit mindestens zwei Toren Vorsprung gewinnen müssen.

Ihr Spiel lief einfach nicht. Die Mannschaft war viel zu sehr mit der Abwehr der gegnerischen Angriffe beschäftigt, als dass sie selbst hätte angreifen können. Auch Franz deckte mehr seinen Gegenspieler, der als Verteidiger oft gefährlich vor ihrem Tor auftauchte. Er selbst war überhaupt noch nicht zu einem Torschuss gekommen, wie es sonst bei ihren Spielen gang und gäbe war. Er war ja der Torschützenkönig seiner Mannschaft. Während der Meisterschaft ihrer Gruppe hatte er es auf nicht weniger als dreißig Tore gebracht, in den regiona-

len Ausscheidungsspielen dann nochmals auf zwölf. Es hatte also mit an ihm gelegen, dass sie nun gegen den VfB um die Deutsche Jugendmeisterschaft spielen durften.
Ihnen konnte denn auch eigentlich nichts Schlimmeres passieren, als hier in der zweiten Runde im Kampf um die Meisterschaft auszuscheiden, nachdem sie zuvor immerhin den Südwest-Vertreter Grün-Weiß 07 nach einem 2:0-Sieg am Sonntag vor vierzehn Tagen aus dem Rennen geworfen hatten. Pech war, danach gleich gegen den VfB ausgelost zu werden und für das erste Spiel Heimrecht zu erhalten. Das hatte man nicht so gern. Lieber spielte man zuerst auf des Gegners Platz. Sie waren ohnehin Außenseiter, kein Mensch außerhalb ihres Landkreises hatte vor dieser Meisterschaft den SV Höhe 08 gekannt. Das allein war schon ein toller Erfolg.
Es klopfte an der Tür ihrer Kabine. Man unterbrach den gerade begonnenen Satz, setzte die Limo-Flasche vom Mund, wischte sich noch einmal mit dem Arm über die feuchte Stirn und schaute zur Tür. Sie wussten, was das Klopfen bedeutete. Und als sich die Tür öffnete, der Schiedsrichter erschien und fragte: »Wollen wir?«, waren sie schon aufgestanden und unterwegs, zurück auf den Platz.
Tümmler, ihr Trainer, ein junger Sportlehrer vom Buschrother Gymnasium und von Herrn Kirschbaum preiswert eingekauft, gab jedem noch einen freundschaftlichen Klaps mit auf den Weg hinaus in den Gang, murmelte ein paar aufmunternde Worte, die sie kaum erreichten. Jeder war viel zu sehr mit sich selbst beschäftigt, war fertig noch vom Spiel der ersten Halbzeit, bei dem sie kaum aus ihrer eigenen Hälfte herausgekommen waren. Das lag auch mit am Wetter. Es war Sommer, die Sonne brannte und in dem Stadionkessel herrschten Treibhaustemperaturen. Da spielte niemand gern. Aber Sommer und Sonne gehören nun einmal mit zum Bild einer Fußballmeisterschaft.
Sie traten hinaus in die Arena, empfangen vom aufbrausenden

Jubel ihrer Anhänger in der Kurve, wo sie ihre blau-weißen Fahnen schwenkten, Kuhglocken bimmeln und Fanfaren schmettern ließen. Karin würde unter ihnen sein, klarer Fall. Zwar hatte er sie seit Freitag nicht mehr gesehen, seit sie hier Quartier bezogen hatten, und wie die Sache aussah, würde er sie auch nach dem Spiel nicht sehen; aber er war sicher, dass sie da irgendwo stand und mitschrie. Zwischen ihnen war alles wieder in Ordnung, sie hatten sich noch am selben Abend ausgesprochen. Ohne dieses Gefühl würde er wahrscheinlich gar nicht spielen können. Zudem hatte sich Lauterbach auch noch nicht wieder gemeldet.
Er schaute zur Kurve hinüber und winkte wie die anderen, als sie den Rasen betraten. Doch sein Gruß galt nur ihr und es machte ihn glücklich, Karin in seiner Nähe zu wissen. Vielleicht war doch noch nicht alles verloren in diesem Spiel. Wenn Kalla ihm einen guten Steilpass gab und er seine Schnelligkeit endlich einmal gegen seinen Verteidiger würde ausspielen können, wäre schon viel erreicht. Dann machte er vielleicht sogar das Tor, auf das sein Trainer und seine Freunde warteten.
»Über die Flügel müsst ihr kommen«, hatte der Trainer eben in der Pause gesagt. »Schickt den Franz auf die Reise.«
An ihm sollte es nicht liegen.
Dann machte der VfB Anstoß, der Ball rollte wieder und Franz musste sich gleich nach hinten absetzen, weil sein Verteidiger sofort mit nach vorn preschte und auch prompt den Ball erhielt. Er spielte nicht gern in der Abwehr, obwohl er schnell und schussstark war; doch war er das seltsamerweise nur im Angriff. Wenn er in der Abwehr aushalf, war er nicht reaktionsschnell genug und fiel auf jeden billigen Trick herein, obwohl er sie alle kannte und auch selbst beherrschte.
In diesem Augenblick sah er seinen Verteidiger mit dem Ball am Fuß vor sich auftauchen, Franz war für einen Moment nicht bei der Sache gewesen. Eine kurze Körpertäuschung und schon war der Verteidiger an ihm vorbei und Franz lief nur noch

hinterher ohne Aussicht, ihn jemals zu erreichen und ihn an der Flanke zu hindern, die sein Gegner dann vors Tor schlug. Ein Kopf war zur Stelle und kaum dass eine Minute seit dem Anpfiff vergangen war, stand das Spiel 1:0 für den VfB.
Das war für sie ein schwerer Schlag und Manni, ihr Torwart, saß enttäuscht auf dem Rasen, während die VfB-Spieler um ihn herumjubelten und dem Torschützen gratulierten. Einer von ihnen holte den Ball aus dem Netz und drosch ihn triumphierend zur Platzmitte, während die Spieler des SV Höhe mit hängenden Köpfen dastanden und sich anschauten, die Schultern zuckten und zurücktrotteten an ihre Plätze.
Franz stand schon wieder auf der Mittellinie. Kalla, ihr Mannschaftskapitän, klatschte aufmunternd in die Hände. Der hatte gut klatschen, dachte Franz, soll er mir mal einen guten Pass geben.
Nach dem Anstoß kam der Ball gleich zu ihm und er hielt ihn am Fuß, lief mit ihm, dribbelte, er hatte viel Raum und als er seinen Verteidiger vor sich auftauchen sah, genügte ihm diesmal nur ein kurzes Antäuschen mit dem rechten Fuß, um den Ball dann links an ihm vorbeizulegen. Er hatte ihn überwunden. Jetzt hielt er den Ball mit dem linken Fuß, sah abermals einen weißgekleideten Spieler der gegnerischen Mannschaft überhastet auf sich zustürmen, sodass er nur einen kurzen Antritt und einen Spurt benötigte, um auch ihn hinter sich zu lassen.
Er war schon fast an der Torlinie, da war der dritte Angreifer bei ihm und es wurde plötzlich eng. Er musste den Ball anhalten, damit er nicht über die Linie rollte, zog mit dem rechten Fuß antäuschend kurz darüber und legte ihn links zurück. Der Gegner stieß ins Leere, er war vorbei und konnte endlich die Flanke ansetzen. Er hatte freie Bahn.
In diesem Augenblick machte der Ball eine unverhoffte Bewegung, vielleicht durch eine Unebenheit im Boden, vielleicht durch einen nicht vermuteten Effet, den wahrscheinlich er

selbst dem Ball mitgegeben hatte. Als er dann schoss, verzog sich der Ball und er landete hinter dem Tor. Seine ganze Kunst, all seine Anstrengungen hatten nichts genützt, die Chance war vertan und er sah gar nicht erst auf; denn er wusste, wie ihn seine Mannschaftskameraden ansehen würden. Er stampfte mit dem Fuß auf, wie um anzuzeigen, dass ein Schuh nicht richtig saß, und lief mit hängendem Kopf zurück. Kalla, der in seiner Nähe war, winkte geringschätzig mit der Hand.
Armleuchter, dachte Franz, soll er's besser machen.
Von der Seite her hörte er den Trainer schreien, er verstand ihn nicht, aber zweifellos hatte er ihn gemeint. Das Spiel lief indes weiter, diesmal nicht auf seiner Seite und er ließ sich Zeit. Erst als er seinen Verteidiger an sich vorbeispurten sah, bemerkte er die Gefahr, die sich da für seine Mannschaft entwickelte. Er rannte, so schnell er konnte, hinter dem Verteidiger her und holte ihn ein, als er gerade ein Zuspiel annehmen wollte. Er fing den Ball ab und er hörte den Beifall, den er für seine Leistung erhielt.
Diesmal kurvte er sofort nach innen. Kalla sah er links von sich und als er angegriffen wurde, spielte er den Ball in die Gasse, wo Kalla ihn annahm. Er war nun in der Position, die er mochte: halblinks zurückgezogen, eine Position, aus der er die meisten Tore geschossen hatte. Er sah Kalla laufen, den Ball am Fuß, er hielt sich zurück, um die gegnerischen Deckungsspieler zu verwirren. So war er ungedeckt ein guter Anspielpunkt, was Kalla auch erkannte. Er bekam den Ball etwa zehn Meter vor der Strafraumgrenze, sah Nobby rechts neben sich, gab den Ball ab, startete, erwartete den Doppelpass in der Lücke, die die Abwehrspieler des VfB gelassen hatten, erhielt ihn und schoss aus halber Drehung, ohne lange zu fackeln.
Nobby warf seine Arme noch früher hoch als er selbst und es durchfuhr ihn wie ein Blitz: der Ball war tatsächlich im Netz. Er machte einen Satz, armhochreißend, und stieß einen Schrei aus. Er hörte den Jubel um sich herum und da kamen sie auch

schon auf ihn zugestürmt, umarmten ihn, er fiel, die anderen waren über ihn, sie wälzten sich auf dem Rasen. Er hatte den Ausgleich erzielt, er hatte es geschafft. Jetzt würden sie es noch packen, jetzt war alles wieder im Lot. Sie rappelten sich auf und liefen, während noch andere Spieler und sogar Zuschauer auf ihn zustürzten, um seine Hand zu drücken, ihm auf die Schultern zu klopfen, zurück zur Mittellinie.

Er sah die wehenden Fahnen ihrer Fans und wusste, dass Karin dabei war. Bestimmt trug sie ihre lächerliche blau-weiß gestreifte Tuchmütze. Jetzt war sie bestimmt stolz auf ihn, jetzt würden sie dort drüben ihre Cola-Büchse schütteln und den Verschluss aufreißen, damit der Saft hinausschösse und alle Umstehenden besprühte. Er kannte das. Tore zu schießen ist eine wunderbare Sache, Tore sind das Schönste am Fußballspiel. Deshalb war er ja so gerne Stürmer, Angreifer. Ein Tor zu schießen, beflügelte ihn meist für den Rest des Spiels, es heizte ihn an, riss ihn mit.

Eigentlich spielte er nur wegen dieses Gefühls Fußball, dieser Hochstimmung, in die ihn ein Torschuß versetzen konnte. Das konnte sich ein anderer, der nie Fußball gespielt, nie ein Tor geschossen hatte, gar nicht vorstellen. So etwas musste man selbst erleben. Das teilte er mit niemand, nicht mit Karin, nicht mit seinen Freunden, obwohl er sie alle brauchte, um sich berauschen zu können an diesem Gefühl.

Das Spiel war längst weitergegangen. Der VfB griff jetzt wütend an und sie hatten alle Hände und Füße voll zu tun, die Angriffe abzuwehren. Sein Rauschzustand verflog ziemlich schnell, als er merkte, dass seine Mannschaft aus der Umklammerung durch den Gegner nicht mehr herausfand. Da fing Manni eben noch einen Ball vor einem heranbrausenden VfB-Stürmer ab, da hechtete er hinter dem ins lange Eck gezielten Ball her, faustete ihn zur Ecke, den Eckball boxte er aus dem Strafraum, Manni wuchs wieder einmal über sich selbst hinaus. Sie klapsten ihm reihenweise auf die Schulter als Lohn für seine Taten. Auf der Trainerbank war Tümmler aufgesprungen, sie sahen ihn wild mit den Armen gestikulieren, die Hände zu Trichter formen, aber seine Rufe erreichten sie nicht, sie hatten gar keine Zeit mehr, auf seine Anweisungen zu achten. Der Gegner diktierte das Spiel. Die Luft ist raus, dachte Franz, nichts mehr drin.

Und dann sah er, wie ein weißbekleideter Spieler die Arme hochriss, wie sich Manni nach dem Ball bückte. Es war also passiert. Franz hatte es gar nicht mitgekriegt. Kalla legte sich auf den Rasen und schlug die Hände vors Gesicht. Jemand schrie: »Mensch, Manni, so ein Ei!« Es war wohl ein leichter Ball gewesen, ein Roller vielleicht, ein Aufsetzer, den Manni zu spät gesehen hatte. Aber das war immer dasselbe mit ihm. Er hielt die tollsten Schüsse, wehrte die verrücktesten Bälle ab und dann wiederum kullerten ihm die einfachsten Dinger ins Netz. Manni verstand es manchmal selbst nicht. »Vielleicht weil ich meine, die kriegste mit der Mütze«, sagte er. »Ich weiß auch nicht.«

»Scheiße!«, schrie Franz über den Platz. Da hatte er sich nun abgerackert, hatte sogar ein Tor geschossen. Nun brachte ihnen dieses Tor überhaupt nichts ein. Ein 1:2 war nun mal eine Niederlage. Am liebsten hätte er sich neben Kalla auf den Rasen geworfen und mit den Fäusten gegen die harte Grasnarbe getrommelt. Aber das würde ihnen auch nichts einbringen. Das Spiel war verloren, das stand für ihn in diesem Augenblick fest. Nie wieder in den verbleibenden Spielminuten würde er es fertigbringen, auf eigene Faust ein Tor zu machen. Er war am Ende, die Knie wurden ihm weich. Die Kehle war ausgedörrt, die Augen schmerzten vom Schweiß, den auch die Augenbrauen nicht mehr hatten aufhalten können. Es war aus. Kurz vor Spielende fiel dann noch ein Tor für den VfB, sie verloren das Spiel schließlich mit 1:3. Damit waren dann auch die Voraussagen eingetroffen, die alle Welt, die sich für die Fachwelt hielt, vorher abgegeben hatte.

Später, im Bus, der sie zu ihrem Hotel zurückbrachte, herrschte gedrückte Stimmung.
»Das Spiel haben wir zu Hause verloren«, sagte Kalla. »Wenn ich nur an all die Chancen denke, die wir da gehabt haben.« Er schaute Franz an, der neben ihm saß. Franz wusste, dass er in jenem Spiel vor einer Woche eine Menge versiebt hatte. Er war nicht in Form gewesen, konnte sich aber nicht erklären, warum.
»Was guckste mich dann dabei so an«, fragte er trotzdem. Das konnte schließlich jedem mal passieren.
»Vielleicht meint er, du könntest einen Grund gehabt haben«, mischte sich der Trainer ein. Er saß eine Reihe vor ihnen und hatte jedes Wort ihrer Unterhaltung hören können.
»Versteh ich nicht«, sagte Franz. Die konnten ihn doch alle mal. Jetzt sollte er schuld sein, dass sie aus dem Rennen waren.
»Wir wissen doch alle, dass du zur Borussia willst«, warf nun Nobby ein.
»Nun erzähl doch nicht so 'n Scheiß.« Franz wurde wütend. »Das hat doch mit unserem Spiel überhaupt nichts zu tun. Im übrigen steht noch gar nichts fest. Lasst mich bloß damit in Ruhe.«
»Tatsache ist aber, dass du in 'nem Formtief steckst, das haben alle gesehn«, sagte der Trainer, er hatte ihm sein Gesicht zugedreht. Franz erkannte die große Narbe auf seiner Stirn, die er sich bei einem Kopfballduell zugezogen hatte, damals, als er noch selbst aktiv für Rasensport Buschroth spielte. Libero. Er erzählte oft davon: wie sie noch mit Lkws zu ihren Spielen gefahren waren und auf offener Ladefläche ihre Lieder geschmettert hatten. Eine romantische Zeit musste das gewesen sein. Da wusch man noch seine Trikots selbst, musste die Fahrtkosten bezahlen und es gab keine freien Tage von der Arbeitsstelle wie für sie, die fast alle in Herrn Kirschbaums Möbelfabrik beschäftigt waren, der eine als Packer, der andere als Lagerarbeiter und Franz als kaufmännischer Lehrling.

Sie waren selbst hier bei diesem Dorfverein schon so etwas wie halbe Profis, seit sich Herr Kirschbaum geschworen hatte, aus diesem Verein etwas zu machen. Für sie erfüllte sich hier schon der Traum ihres Lebens: ein Schritt mit dem Ball am Fuß. Es fehlte nur noch der letzte Schritt; aber das war jetzt nur noch eine Frage der Zeit, seit sie im Fernsehen zu sehen gewesen waren und sich auf der Tribüne die Einkäufer der großen Vereine sehen ließen, um sich Notizen zu machen und hinterher ein Telefon für ihr Angebot benutzten.
Das alles war schon nicht mehr die reinste Freude, das war mitunter auch blutiger Ernst. Dieses tägliche Training zum Beispiel, da wurden sie ganz schön geschlaucht; kein Wunder, dass Karin sauer geworden war. Er konnte sie ja auch verstehen. Sie sahen sich kaum noch und jetzt auch noch die Aussicht, Franz an einen Bundesligaklub zu verlieren . . . Wann würde man sich dann noch sehen, wenn er erst in der Stadt wäre? Er konnte sich das Leben ohne Karin und ohne seine Umgebung gar nicht vorstellen. Was erwartete ihn eigentlich bei der Borussia? Viel Geld, aber darüber hinaus? Einen Vorgeschmack auf dieses Leben hatten sie schon jetzt bekommen während dieser Meisterschaft, die sich schon einige Monate hinzog über Verbands- und Regionalmeisterschaften. Und je weiter sie dabei gekommen waren, desto härter wurde es. Man nannte sie geringschätzig die »Kappesbure« oder die »Burefrengels«, wo immer sie auch hinkamen, niemand rechnete mit ihnen. Niemand von den Leuten da draußen wusste schließlich, dass Kirschbaum sich nach und nach eine wirklich ausgereifte Mannschaft zusammengebaut hatte, die dann den hochnäsigen Stadttypen das Fürchten beibrachte.
Dieser Haufen vom Ersten FC zum Beispiel, die schlimmsten Angeber, denen sie auf ihrem Weg begegnet waren. Als die zum Hinspiel nach Höhe kamen, ein Nest, das sie auf ihrer Landkarte nur schwer hatten ausfindig machen können – da hatten sie Gesichter gemacht, als sie den Aschenplatz neben

der Möbelfabrik sahen. »Ein Acker«, sagte einer von ihnen, »darauf können wir gar nicht spielen.« Außerdem verlangten sie eine Turnhalle zum Aufwärmen.

Franz und seine Freunde wollten sich kaputtlachen, als sie die so reden hörten. Sie feixten und stießen sich in die Seiten. »Euch werden wir schon genug einheizen«, rief Nobby. Und die Angeber vom Ersten FC mussten mit diesem Acker und ohne Turnhalle auskommen, trabten eine halbe Stunde vor Spielbeginn zum Aufwärmen auf dem Höher »Acker« herum und verloren 1:4.

»Aber ihr kommt ja noch zu uns«, rief einer vom FC zum Abschied. Vor diesem FC hatten sie nun keine Angst mehr und sie fuhren in die Großstadt und spielten im dortigen Stadion und auf Rasenboden 1:1. Das genügte fürs Weiterkommen und die FC-Angeber mussten sich die »Bauern« im Fernsehen ansehen.

Aber damit war es nun auch vorbei. Sie waren ausgeschieden, morgen ging es nach Hause und was war dann? Franz ging wieder seiner Arbeit nach, ohne trainieren zu müssen, ab kommender Saison spielte er womöglich in der Ersten Mannschaft des SV Höhe, um die in die Landesliga zu bringen. Es sei denn, sein Probetraining bei der Borussia liefe günstig für ihn.

Natürlich war die Angelegenheit durchgesickert und hatte ihre Runde gemacht. Dafür hatte schon der Bäcker Marenbach gesorgt. Im Dorf war Franz jetzt eine Größe und kam in der Gemeinde Eibach, wozu auch Schmalkotten zählte, gleich hinter Hennes Lauterbach. Aber in der Mannschaft war doch so etwas wie Neid entstanden. Insgeheim hofften sie ja alle auf einen Vertrag, wollte keiner beim SV Höhe bleiben. Wenn schon hier in der Gegend, dann wenigstens in der Amateurliga, wo man auch schon sein Geld verdiente.

Dann waren sie an ihrem Hotel angelangt. Das war wie ein kleiner Urlaub gewesen, Herr Kirschbaum hatte ihnen sogar noch einen Schwarzwald-Aufenthalt versprochen, ganz gleich wie die Meisterschaft ausliefe. Franz wusste gar nicht, ob er sich darauf freuen sollte. Das wären dann schon wieder vierzehn Tage, an denen er Karin nicht sehen würde. Andererseits wäre er auch gern einmal zwei Wochen mit seinen Freunden zusammen gewesen. So 'ne richtige Männersache, wie ihnen vorschwebte. Da wollten sie mal so richtig auf den Putz hauen, Fünfe gerade sein lassen, kein Pardon geben. Da sollte auch mal einer gehoben werden.

Franz merkte, dass da einiges nicht so lief, wie er es sich vorgestellt hatte, seit Karin an jenem Abend ihre Zweifel geäußert hatte. Franz hatte Angst sie zu verlieren. Wenn sie zurück waren, morgen oder spätestens übermorgen, musste er sofort zu ihr.

Er hatte seine Tasche in der Hand und ging die paar Schritte vom Bus zum Hoteleingang. Da stieß ihn Nobby an: »Sieh mal einer an«, sagte er und deutete auf einen Mann, der neben dem Hoteleingang stand und zu ihnen hersah. »Wenn das nicht Lauterbachs Ohr ist.« Tatsächlich, es war Hennes Lauterbach. Er lächelte. Franz nickte ihm zu, dann betrat er das Hotel.

3

Lauterbach stoppte seinen Maserati vor dem Fachwerkhaus und sah sich um. Eine Dorfstraße, ein paar Obstbäume, gegenüber dem Haus eine steil ansteigende Wiese, Hügel, Weiden, Felder, Häuser: das war Schmalkotten. Hier also wohnte Franz Schäfer. Er wusste von ihm, dass er 17 Jahre alt und kaufmännischer Lehrling bei Kirschbaum war, dass er eine Freundin namens Karin hatte und dass sein Vater bei der Bundesbahn beschäftigt war. Er betrachtete das Problem, dem er sich in diesem Augenblick ausgesetzt sah, mit Franz Schäfers Eltern ins Reine zu kommen, als nicht besonders schwierig.
Er stemmte sich aus dem Sitz und schwang sich aus dem Wagen. Seine Sonnenbrille nahm er ab, strich eine Strähne seines blonden Haares aus der Stirn, nahm seine Jacke aus dem Innern des Wagens und legte sie sich auf die Schultern.
Natürlich wäre er jetzt lieber dort, wo seine Mannschaftskameraden von der Borussia waren: in Urlaub. Er hatte vorgehabt mit seiner Frau und seiner dreijährigen Tochter Yvonne an die französische Atlantikküste zu fahren, ein Traum, den er sich bisher nicht hatte erfüllen können. Meist kam nur ein vierzehntägiger Urlaub irgendwo auf Mallorca heraus, wo man schnell bräunte, damit man wenigstens hinterher aussah, als habe man sich erholt. Sein Traum aber gehörte Frankreich. Immer war etwas dazwischengekommen und immer war es der Klub, der ihn daran hinderte, seinen Traum endlich in die Wirklichkeit umzusetzen.
Dennoch hatte er dem Klub viel zu verdanken, eigentlich alles. Alles, was er heute war, Geschäftsmann, Fußballer, Nationalspieler, Mitglied der städtischen Gesellschaft: das hatte er der

Borussia zu verdanken, die ihn seinerzeit aus Niedersachsen geholt hatte, wo er einen schlechten Vertrag bei einer schlechten Mannschaft der damaligen Regionalliga Nord hatte und wo er Torschützenkönig geworden war. Als die Herren von der Borussia kamen und fragten, ob ihm der Gedanke gefalle zurück in seine unmittelbare Heimat zu kommen und noch besseres Geld zu verdienen, da hatte es ihm die Sprache verschlagen. Er hätte vor Glück brüllen mögen und nicht anders durfte es nach seiner Meinung den Jungen gehen, denen die Borussia ein Angebot machte. Ein solches Angebot durfte man sich überhaupt nicht überlegen, da musste man einfach zugreifen, egal wie das Angebot aussah.

Die Borussia hatte ihn zu einem gemachten Mann werden lassen, obwohl er hier aus der Gegend stammte, aus Eibach, zehn Kilometer von Schmalkotten weg im Flusstal gelegen, ein nur mäßig größeres Kaff als dieses Schmalkotten mit ebensolchen Fachwerkhäusern und Bauern, vielleicht ein paar Handwerker mehr als hier, aber sonst?

Er steckte die Sonnenbrille in seine Hemdtasche und ging auf das Haus zu, sprang die zwei Steinstufen hoch und drückte die Klinke nieder. Es kam selten vor, dass hier Türen abgeschlossen waren; es lohnte sich nicht zu stehlen, Reichtümer gab es hier nicht zu holen. Er stand in einem Flur, es war still. Dann pochte er mit dem Knöchel gegen die Tür, die links neben dem Eingang lag.

Eine Frauenstimme rief: »Herein«, und er betrat das Zimmer.

Es sah hier wie überall in dieser Gegend aus: ein Wohnzimmerschrank, ein Tisch, ein paar Stühle, ein Blumenbänkchen, ein Fernsehapparat, alles adrett und solide und wie aus dem Kaufhauskatalog abgemalt.

»Guten Tag«, sagte Hennes Lauterbach.

Die Frau, die ihm entgegenkam, schätzte er auf vierzig, sie trug das Haar zu einem Knoten, sie war weder hässlich noch schön,

ein Dutzendgesicht. Die Frau trug eine Kittelschürze, in der Hand hielt sie ein Staubtuch, das sie jetzt auf den Tisch legte.
»Guten Tag«, sagte die Frau.
»Ich bin Hennes Lauterbach. Vielleicht haben Sie schon mal von mir gehört.«
Sie lächelte. »Ja. Sie sind ein bekannter Fußballspieler. Franz sprach von Ihnen. Stammen Sie nicht hier aus der Gegend?«
»Aus Eibach.«
»Ach ja. Nehmen Sie doch Platz, Herr Lauterbach.«
Er setzte sich und fühlte sich unbehaglich. Er hatte darauf gehofft, Franz' Vater anzutreffen. Mit Männern ließ sich besser verhandeln.
»Möchten Sie was trinken?«, fragte sie. Er schüttelte den Kopf.
»Eine Tasse Kaffee?«
»Bloß keine Umstände«, sagte Lauterbach und schlug die Beine übereinander. »Ich dachte, ich hätte Ihren Mann angetroffen.«
»Der kommt erst in einer Stunde.«
»Er ist bei der Bahn?«
»Ja. Heute hat er Spätdienst, dann ist er erst gegen sechs hier. Hat es etwas mit Fußball zu tun?«
»Ja«, sagte er, »mit Franz.«
»Der ist im Schwarzwald.« Lauterbach merkte, dass sie stolz auf ihren Sohn war, stolz darauf, dass er mit der Mannschaft und auf Kosten des Vereins oder besser: des Herrn Kirschbaum zwei Wochen Urlaub machen durfte. »Sie sind bis in die zweite Runde gekommen bei der Meisterschaft. Soll ich Ihnen die Bilder zeigen?«
»Nein, danke. Ich war selbst dort und habe die Spiele gesehen.«
»Auch die Zeitungsausschnitte habe ich aufgehoben«, sagte die Frau und lächelte glücklich. »Mein Mann hat sich damals sämtliche Zeitungen gekauft, die er kriegen konnte. In den meisten war ein Bild von Franz, wie er das eine Tor schießt.«

»Ja, ich weiß.«
Frau Schäfer setzte sich nun auch. Sie saß da vor ihm auf dem Stuhl, als befinde auch sie sich hier zu Besuch. Die Sonne schien warm durch eines der Fenster.
»Herr Kirschbaum hat sie alle eingeladen. Der ist überhaupt sehr großzügig.« Die Frau faltete die Hände in ihrem Schoß und sah ihn immer noch lächelnd an. Sie hätte ihm am liebsten sämtliche Fotos ihres Sohnes gezeigt, angefangen von dem, wo er als drei Monate altes Kind auf dem Eisbärfell lag.
Lauterbach musste an seine Mutter denken, die seit ein paar Jahren tot war. Krebs. Ein langes Leiden. Er dachte nicht gern daran. Seinen alleinstehenden Vater, der jetzt über siebzig war, besuchte er hin und wieder, wenn er in der Gegend war. Auch seine Eltern hatten Zeitungsausschnitte gesammelt, Bilder, zeigten sie herum, zeigten sie selbst ihm, obwohl auch er sie sammelte und aufhob und sie alle kannte. »Die kannst du mitnehmen, wenn du willst«, sagte sein Vater, sooft er bei ihm war. Irgendwann würde er sterben und Hennes würde die Bilder und verrotteten Zeitungsausschnitte in irgendeiner Zigarrenkiste finden und er würde, da war er ganz sicher, sie mit auf den Haufen Plunder werfen, den die städtische Müllabfuhr alsdann zur Verbrennungsanlage fahren musste.
»Herr Kirschbaum tut natürlich für seine Verhältnisse eine ganze Menge«, sagte Lauterbach, nahm sein Bein vom anderen herunter und stellte die Füße nebeneinander. Er hatte starke O-Beine und er stellte die Füße immer auseinander.
»Wir sind ihm sehr dankbar, mein Mann und ich.«
»Für Ihren Sohn gibt es aber noch ganz andere Möglichkeiten.« Er wunderte sich über sich selbst, dass er endlich zum Angriff überging. Eigentlich hatte er nicht mit der Mutter darüber sprechen wollen. Aber er konnte sich auch nicht eine Stunde lang die Geschichte des Wunderknaben Franz anhören. Sie würde bestimmt gleich von seinen Zeugnissen erzählen und wie aufgeweckt er schon als Kleinkind gewesen war.

»Ach, das glaube ich nicht«, sagte Frau Schäfer. »Mehr als Herr Kirschbaum kann man gar nicht tun.«
»Ich glaube doch. Ich kenne mich da ein wenig aus.«
Die Frau lachte, ihre Stimme klang hell und war ohne jeden falschen Ton. »Sie meinen, dort bei Ihnen, wo Sie spielen.«
Lauterbach nickte. »Aber Sie sind doch Profi. Franz und mein Mann haben mir das alles erklärt. Ich kenne mich nicht so aus. Aber dass Sie ein Profi sind, das weiß ich. Sie verdienen Geld mit dem Fußballspielen.«
»Das könnte Ihr Sohn auch.«
Wieder lachte sie. »Nein, Herr Lauterbach, das glaube ich Ihnen nicht. Hier beim Höher Sportverein?«
»Natürlich nicht in Höhe, aber bei uns.«
Sie lachte mit einem Mal nicht mehr, ihre Miene verhärtete sich, irgendetwas von Abwehr war plötzlich in ihrem Wesen spürbar. Lauterbach merkte, dass er vielleicht ein wenig zu voreilig gewesen war. Er hätte wieder gehen und warten sollen, bis der Vater heimkäme. Mit einer Mutter ließ sich schlecht sprechen. Er hatte es einige Male schon erlebt. Es war immer, als nehme man ihnen etwas fort, als reiße man ihnen etwas von der Brust. Denn die Söhne mussten ihren Ort, ihre Familie verlassen, ihre Umgebung, ihre Freunde, er verstand das schon. Das war nicht einfach, für keinen der Beteiligten.
»Bei Ihnen«, sagte sie und schien eine Feststellung getroffen zu haben. »Und wo ist das?«
Er nannte den Namen der Stadt. »Etwas mehr als hundert Kilometer, Frau Schäfer«, sagte er. »Er könnte jedes Wochenende nach dem Spiel nach Hause kommen.«
»Und die ganze Woche über fort?«
Gleich fängt sie an zu heulen, dachte Lauterbach. Mensch, hätte ich doch die Schnauze gehalten. Trotzdem nickte er auf ihre Frage. »Wir werden eine hübsche Wohnung für ihn finden, ein Apartment, wo er leben kann, das er sich einrichten kann nach seinem Geschmack. Schließlich muss er jeden Tag trainieren.«

»Das kommt gar nicht in Frage.« Sie stand auf. Er wollte noch etwas sagen, aber sie schnitt ihm das Wort ab: »Kein Wort mehr darüber, Herr Lauterbach. Wissen Sie, wie alt mein Sohn ist? Siebzehn. Mit siebzehn geht man nicht von zu Hause fort. Wir haben ein sehr schönes Familienleben. Franz ist unser Einzigster. Der soll mal ein guter Kaufmann werden und dafür wird Herr Kirschbaum schon sorgen.«

»Das kann er auch bei uns werden. Wir legen allergrößten Wert darauf, dass unsere Spieler einen vollwertigen Beruf haben, den sie jederzeit wieder ausüben können, wenn sie eines Tages nicht mehr spielen.«

»Nein«, sagte sie. Es war nichts zu machen, es schien ihr letztes Wort.

»Glauben Sie«, sagte er dann doch noch, »dass das auch im Sinne Ihres Sohnes ist?«

Ihr Gesicht verlor augenblicklich die Härte, es wurde nachdenklich und schließlich entschloss sie sich dann doch wieder zur Härte, fand zu ihr zurück, denn anscheinend passte ihr der Gedanke überhaupt nicht: »Noch sind wir für ihn verantwortlich. Man gibt kein Kind aus dem Haus.«

»Aber, Frau Schäfer«, er wollte sich noch nicht geschlagen geben, »Sie geben Franz doch nicht aus dem Haus. Er wird da draußen sein Glück machen, hören Sie, was ich Ihnen sage. Er wird mit seinem Hobby Geld verdienen, er wird seinen Beruf zu Ende bringen. Er wird sogar für seine Zukunft gesorgt haben. Das ist nicht mehr so wie früher, als man die Leute nur Fußball spielen ließ und sich sonst nicht weiter um sie kümmerte. Heute gibt es entsprechende Versicherungen, Absicherungen. Das ist ein todsicheres System.«

»Sie mit Ihrem System«, sagte die Frau. »Sie werden ihn zu einer Maschine machen, die nur noch ans Geld verdienen denkt. Er wird alles verlieren, was er bisher gehabt hat: sein Elternhaus, seine Heimat, seine Freunde.«

»Aber das braucht doch nicht so zu sein«, Lauterbach merkte, dass er jetzt wieder Feuer fing; es war wie ein Jagdfieber, er wollte plötzlich diese hartnäckige Frau gewinnen, gegen ihre in die Schlacht geworfenen Gefühle seine Vernunft setzen und er würde der Sieger sein. Sie hatte anscheinend einen Satz zuviel mit ihm gewechselt. Sie hätte ihn, wenn sie gewinnen wollte, hinausschmeißen müssen. Da sie es nicht getan hatte, würde sie ihn weiter ertragen müssen. Auf die Dauer würde er der Stärkere sein.

»Er verliert gar nichts«, sagte er. »Er behält alles das, was sein Leben bisher ausmachte, und gewinnt Neues und Besseres hinzu. Er gibt doch gar nichts auf, Frau Schäfer. Auch Sie nicht. Aber«, er machte eine Pause, »das ist eigentlich auch erst der zweite Schritt. Und den sollte man bekanntlich nicht vor dem ersten tun.«

Die Frau setzte sich auf, seufzend. Anscheinend merkte sie, dass ihre Gefühle nicht ausreichten, um diesem Manne erfolgreich Widerstand leisten zu können. »Sehen Sie, noch ist gar nicht heraus, ob wir ihn überhaupt nehmen können, ob er gut genug für uns ist. Er wird noch so etwas wie eine Prüfung machen müssen.«

»Aber wieso denn das?« Wahrscheinlich fühlte sie ihren Sohn durch diese einschränkende Bemerkung herabgesetzt, glaubte sie, seine Leistungen, die er in ihren Augen doch zweifellos erbracht hatte, nicht richtig gewürdigt. »Hat er denn nicht genug Tore geschossen?«

»Aber sicher.« Nun durfte Hennes Lauterbach eines seiner berühmten mundauseinanderziehenden Lächeln ansetzen, wobei seine Ohren einen Sprung vollführten und das Haar in Bewegung setzten, das sie sonst ein wenig zu verdecken vermochte. »Dadurch sind wir ja auf ihn aufmerksam geworden. Er hat schließlich nicht nur den Fuß hingehalten, wenn Sie verstehen, was ich damit sagen will.«

»Nein.«

»Da gibt es Leute, die stehen vorne vor dem Tor herum und

warten auf gute Flanken, halten nur den Fuß hin und drin ist der Ball. Sonst tun sie nichts. Die Hauptarbeit haben andere für sie erledigt. Natürlich ist das auch eine Kunst, immer zur rechten Zeit an der richtigen Stelle zu sein. Die Leute mit einem solchen goldenen Fuß sind gesucht. Aber Ihr Sohn, Frau Schäfer, das ist ein spielender Torschütze. Der kann auch Fußball spielen.«

»Ach, wissen Sie, davon verstehe ich nichts. Ich weiß nur, dass die Jungens, die ein Tor geschossen haben, immer beglückwünscht werden. Im Fernsehen sieht man's häufig.«

»Wenn Sie aber genauer hinsehen, werden Sie auch im Fernsehen erkennen, dass dieser beglückwünschte Torschütze so gut wie immer auf den zuläuft, der ihm die Gelegenheit zum Torschuss gegeben hat, der die Flanke oder den Pass gab. Meistens werden sogar beide umjubelt.«

»So genau sehe ich mir das nie an.« Sie lächelte wieder, schien besänftigt und Hennes Lauterbach grinste so unbefangen, wie es ihm möglich war. Er war jetzt in seinem Element, da konnte er reden wie ein Rundfunkreporter. Frau Schäfer stand auf und sagte: »Jetzt mache ich Ihnen und mir aber doch eine Tasse Kaffee.«

Hennes Lauterbach lehnte sich zufrieden zurück und sagte: »Danke, nett von Ihnen. Ich glaube, wir haben beide eine Tasse verdient.«

Sie setzte Wasser auf, hantierte in ihrer Küche und Lauterbach erhob sich von seinem Stuhl und wanderte durch das Zimmer.

»Hübsch haben Sie es hier.«

»Finden Sie?«, fragte sie aus der Küche zurück.

»Doch ja, gemütlich. Hier kann man sich wohl fühlen.«

»Haben wir uns auch redlich vom Munde abgespart. Was denken Sie, wie das hier früher ausgesehen hat. Meine Schwiegereltern hatten ja noch die Landwirtschaft. Da haben wir manche Mark hineinstecken müssen.«

»Das sieht man.« Er hätte hier nicht wohnen mögen, besser: nicht mehr. Früher, in seiner Jugend, sah es bei ihm zu Hause

weit weniger adrett und solide aus und er hatte sich dort ebenso wohl gefühlt wie Franz Schäfer und Eltern in dieser Wohnung. Aber diese Zeit lag weit hinter ihm. Jetzt bewohnte er einen Bungalow im Grünen vor den Toren der Stadt mit einem parkähnlichen Garten ringsum, wo er manchmal mit seiner Tochter und dem Boxerhund Dingo herumtollte. Manchmal war dann auch ein Fotoreporter zur Stelle, der ihn dabei aufnahm. Später sah er die Bilder dann in irgendeiner Illustrierten wieder und sie sahen irgendwie synthetisch aus, unecht und gestellt wie Werbefotos für Hundekuchen oder Bausparen.
Sein Haus besaß eine gediegene Ausstattung, rustikal, mit Kamin, kein Vergleich mehr zu früher und zu der Klitsche, in der er groß geworden war und in der heute noch sein Vater wohnte. Er hatte es zu etwas gebracht und er wünschte, dass es Franz mit seiner Hilfe zu etwas Ähnlichem bringen würde. Das käme auch ihm selbst zugute. Er saß hier nämlich nicht aus lauter Liebe zu Franz Schäfer, er war nicht nur Fußballer, sondern auch Geschäftsmann.
Dann war der Kaffee fertig und Frau Schäfer trug Kanne und Tassen ins Wohnzimmer.
»Leider hab ich keinen Kuchen im Haus«, sagte sie.
»Gar nicht nötig, Frau Schäfer. Ich muss sowieso auf meine schlanke Linie achten.« Er probierte den Kaffee und fand ihn stark und gut, so wie er ihn mochte. »Ausgezeichnet.« Er verzog das Gesicht zu einem anerkennenden Grinsen. »Kaffee ist meine Leidenschaft. Die letzte wahrscheinlich.« Sie lachte geniert und wurde rot dabei. »So ein Haus macht eine Menge Arbeit. Abends ist man kaputt. Mein Mann hat einen schweren Beruf, er ist Rangiermeister bei der Bundesbahn. Abends sitzen wir vor dem Fernseher. Unsere einzige Freude ist der Junge, Herr Lauterbach. Wir wollen, dass etwas Gutes aus ihm wird. Er soll eine solide Grundlage haben. Er ist ja unsere ganze Zukunft. Wir leben ja nur für ihn.«
»Ich verstehe, Frau Schäfer«, sagte er. Ihr Gefühlsausbruch

war ihm etwas peinlich. So gefühlig waren seine Eltern früher nicht mit ihm umgegangen. Er hatte vier Geschwister und bei ihm zu Hause hatte der Vater mit strengem Regiment geherrscht. Und als er fortging, er war damals immerhin einundzwanzig, ging er gern, und niemand aus der Familie kümmerte sich darum, wo er blieb. Erst als er ein bekannter Fußballspieler geworden war, erfuhr er zu Hause die Anerkennung, die er in seiner Jugend auch schon gern gehabt hätte. Aber er war ja nur Elektriker gewesen.
Jetzt besaß er ein paar Wohnhäuser in der Stadt, war Teilhaber an einer Wohnungsbaugesellschaft und einer Firma aus der Elektroinstallations-Branche. Er durfte sich Kaufmann nennen, Geld verdiente er so viel, dass er oft den Überblick verlor und jemanden benötigte, der ihm dabei half, den Überblick zu behalten.
»Der Franz geht Ihnen ja nicht verloren«, sagte er. »Einer, der solche Eltern hat, so ein Elternhaus, der kann ja gar nicht verloren gehen. Ich habe das nicht gehabt.«
»Ich weiß, dass der Franz gern mit Fußball Geld verdienen würde«, sagte sie und war wieder gefasst. »Er hat's mir gesagt, bevor er wegfuhr mit der Mannschaft. Hatten Sie mit ihm darüber gesprochen?«
»Ja, nach dem letzten Spiel dort unten. Wir wenden uns ja zuerst an die Spieler selbst. Schließlich möchten wir niemanden dazu zwingen bei uns zu spielen. Sie müssen gern zu uns kommen. Ja, der Franz war damit einverstanden.«
»Ich will ihm natürlich nicht im Wege stehen. Aber da müssen sie mit meinem Mann sprechen. Er wird gleich kommen.«
Sie tranken Kaffee und Lauterbach wusste, dass die Angelegenheit damit erledigt war. Jetzt kämen noch die Formalitäten und dafür wäre dann der Vater zuständig.
Als er endlich kam, begrüßte er Hennes Lauterbach überschwenglich. »Dass ich Sie mal in unserer Wohnung haben würde!«, rief er. »Hätte ich nicht für möglich gehalten. Freue mich riesig Sie kennen zu lernen. Von der Mattscheibe her

kenne ich Sie ja, aber das ist ja was anderes. Schmeckt Ihnen unser Kaffee?«

»Stell dir vor, Herr Lauterbach ist wegen Franz hier«, sagte seine Frau.

»Hab ich mir gedacht. Aber behalten Sie doch Platz.«

Sie saßen um den Tisch herum und redeten. Später nötigte man Lauterbach, noch zum Abendessen zu bleiben und er blieb tatsächlich. Das Geschäftliche war zu diesem Zeitpunkt längst geklärt. Der Vater war damit einverstanden, dass sein Sohn zur Borussia wechselte, vorausgesetzt, er bestand die Prüfung eines mehrmaligen Probetrainings, wozu Franz demnächst für eine Woche in die Stadt eingeladen werden würde. Der Vater verpflichtete sich, bis zur Entscheidung der Borussia keine Vereinbarung mit einem anderen Verein zu treffen. Lauterbach erklärte ihnen, dass ihr Sohn seine Gehilfenprüfung in der Stadt würde ablegen können, dass er eine entsprechende Wohnung gestellt bekomme und eine Lebensversicherung für ihn abgeschlossen werde für den Fall seiner Invalidität.

Schließlich verabschiedete man sich voneinander, Hennes Lauterbach bestieg wieder seinen Maserati, nachdem er zuvor noch eine Menge Autogramme hatte geben müssen; denn um seinen Wagen hatte sich das halbe Dorf versammelt, während Franz' Eltern unter der Tür standen und dem Treiben mit Stolz zusahen. Dieser ganze Aufwand galt ja eigentlich ihrem Sohn.

»Zum Probetraining komme ich den Franz hier abholen«, rief Lauterbach, als er schon im Wagen saß und den Motor anließ.

»Und dann machen Sie mir wieder einen solch guten Kaffee.«

»Dann werd ich aber auch einen Kuchen dahaben.«

»Zur Vertragsunterzeichnung kommen Sie dann alle rüber. Darauf trinken wir eine Flasche Sekt zusammen.«

4

Nachdem Franz aus dem Schwarzwald zurückgekehrt war, wo sie mit der Mannschaft zwei angenehme Wochen auf Kosten des Herrn Kirschbaum verbracht hatten, erhielt er die telefonische Nachricht, dass Hennes Lauterbach ihn an einem Freitag für ein einwöchiges Probetraining abholen werde. Lauterbach wollte kein großes Theater darum machen und deshalb spät abends erscheinen, damit er gar nicht auffiele.
Also war Franz ohne großen Bahnhof zum Probetraining in die Stadt gefahren und wohnte eine Woche lang in einem möblierten Apartment, das der Klub ihm zur Verfügung stellte. Er trainierte zweimal am Tag mit der Borussen-Mannschaft, die jedoch noch nicht vollzählig zusammen war. Einige von den Cracks befanden sich noch in Urlaub.
Franz fühlte sich wieder in Form, hatte die nötige Kondition und war für diese Probe bestens gerüstet. Auch während seines Urlaubs hatte er nicht aufgehört, sich in Form zu halten: er mied den Alkohol im Gegensatz zu seinen anderen Mannschaftskameraden vom Höher SV und hielt sich mit Waldläufen und Krafttraining fit. In der Stadt trainierte er zunächst nur mit dem Konditionstrainer, einem ehemaligen aktiven Leichtathleten; doch dann tauchte eines Tages sogar der berühmte Max Wollschläger, der Trainer der Borussia, auf, um das Training zu leiten. »Extra aus dem Urlaub geholt, um euch Fohlen zu testen«, sagte jemand. Der verschärfte das Training dann, ließ sie rennen, Bälle schleppen, Spiele gegeneinander austragen, mal war Franz mit Angriffs-, mal mit Deckungsaufgaben betraut und die Sonne brannte während der Woche unbarmherzig. Franz nahm in dieser Woche fünf Kilo ab, aber

seine Muskeln besaßen eine enorme Spannkraft, seine Lungen arbeiteten einwandfrei, sein Herz pumpte, sein Kreislauf funktionierte und dann hatte es sich am Ende auch gelohnt. Max Wollschläger nahm ihn am letzten Tag beiseite und schenkte ihm trotz seiner weltweit bekannten Brummigkeit ein Lächeln. »Ich glaube, ich kann dich gebrauchen«, sagte er. »Du wirst von uns hören. Jetzt fahr erst mal wieder nach Hause.«

Auf der Geschäftsstelle, wo er sich seine Spesen abholte, sagte man ihm, nun werde der Vertrag vorbereitet, er bekomme rechtzeitig Bescheid und zur Vertragsunterzeichnung solle er seine Eltern mitbringen, da er noch nicht volljährig sei. Franz nickte, steckte das Geld ein, packte in seinem Apartment die wenigen Sachen zusammen, setzte sich auf den Zug und war noch am Abend wieder in Schmalkotten.

»Geschafft«, sagte er, als er die Wohnung seiner Eltern betrat. Die saßen im abgedunkelten Wohnzimmer und schauten sich das Fernsehprogramm an. Es war immer dasselbe.

Nun aber blickten sich beide nach ihm um und Franz schaltete das Licht ein. »Herzlichen Glückwunsch, Junge«, sagte sein Vater und reichte ihm eine Hand über die Sessellehne. »Und wann soll's ernst werden?«

»Ich kriege noch Bescheid.« Er stellte seine Sachen ab.

»Dann wirst du uns also bald verlassen«, sagte seine Mutter.

»Aber ich verlasse euch doch nicht. Diese läppischen hundert Kilometer. Und dann schaff ich mir als Erstes 'nen Wagen an, ist doch klar. Dann bin ich jedes Wochenende hier. Schon allein wegen der Wäsche.«

»Oder wegen Karin?«, fragte sein Vater und lachte.

»Na ja«, antwortete Franz. »Ich werd jetzt mal eben zu ihr gehn.«

»Willst du denn nicht vorher noch ein Häppchen essen, Franz?«

»Hab keinen Hunger. Bis später dann.« Er ging, löschte das Licht und überließ sie ihrem Fernsehprogramm.

Mit Karin war das so eine Sache. Ihr gegenüber fühlte er sich irgendwie mit einem schlechten Gewissen beladen, ohne genau zu wissen, warum. Er hatte sie in letzter Zeit nicht allzu häufig gesehen, viel weniger noch war er mit ihr zusammen gewesen. Das hatte auch damit zusammengehangen, dass Fritz Tümmler, ihr Trainer, ihnen eingeschärft hatte, die Finger für eine Weile von ihren Freundinnen zu lassen, solange sie in der Meisterschaft steckten. Dann kamen die Feiern, die die Gemeinde zu ihren Ehren veranstaltet hatte, und schließlich die Schwarzwaldfahrt. Nun war er gerade wieder für eine Woche unterwegs gewesen. Jetzt, als er endlich auf dem Weg zu ihr war, hörte er sein Herz klopfen vor Erregung. Das musste sie doch einsehen. Das alles geschah ja auch für sie, irgendwann würde er sie mit dabei haben. Jedenfalls hatte er die feste Absicht, auch sie in die Stadt zu holen, wenn er dort Fuß gefasst hatte.
Er klingelte an ihrer Haustür und es dauerte diesmal ziemlich lange, ehe ihm geöffnet wurde und als Frau Wünsche im Türrahmen erschien, sagte sie nach einer knappen Begrüßung:
»Mit dir haben wir nun wirklich nicht gerechnet heute Abend.«
Sie führte ihn ins Wohnzimmer, wo die Familie ebenfalls vor dem Fernsehapparat hockte und sich den Freitagskrimi ansah.
»'n abend«, sagte er in den dunklen Raum hinein und ging auf das Sofa zu, wo Karin saß. Er gab ihr die Hand.
»'n abend, Karin.«
»'n abend«, sagte sie, ohne den Blick vom Fernseher zu lassen.
Er setzte sich neben sie. Ihr Vater hatte überhaupt kein Wort zu ihm gesagt. Sein Herzklopfen verstärkte sich.
»Ich bin gerade zurückgekommen«, sagte er, während der Detektiv auf der Mattscheibe eben dabei war, hinter einem Verdächtigen herzuschleichen und waghalsige Kletterkunststücke auf einer Feuerleiter vollführte.
»Psst«, machte denn auch Herr Wünsche aus seinem Sessel heraus.

»Ich glaube, die nehmen mich«, sagte Franz trotzdem.
»Wie schön für dich«, sagte Karin, die Spitze war gar nicht zu überhören.
»Wenn ihr euch unbedingt unterhalten wollt, dann geht nach oben«, rief Herr Wünsche.
»Ich will mich ja gar nicht unterhalten«, antwortete Karin.
»Dann seid auch endlich still!«
So hatte sich Franz noch nie behandelt gefühlt und das an seinem Freudentag, wo er die Prüfung als Fußballprofi sozusagen bestanden hatte. Da wurden anderswo Sektflaschen entkorkt, da ließ man Leute hochleben, hier hockte man vor dem Fernsehschirm und nahm nicht einmal freundschaftliche Notiz von ihm. Ein mattes »Herzlichen Glückwunsch« seines Vaters, ein ironisches »Wie schön für dich« Karins war alles gewesen, was man für ihn übrig hatte. Was sollte er davon halten? War es aus zwischen Karin und ihm? Er verstand das nicht. Er mochte sie doch, vielleicht liebte er sie sogar. Sie aber behandelte ihn wie den letzten Dreck.
Er stand auf. »Dann kann ich ja auch gehn«, sagte er, zwängte sich zwischen den Sesseln der Eltern hindurch, öffnete die Tür, ging durch den Flur und erreichte die Haustür. In diesem Augenblick hörte er jemanden hinter sich. »Franz«, sagte Karins Stimme. Er ließ die Türklinke los, die er gerade hatte niederdrücken wollen, und wandte sich um.
»Kathrinchen«, sagte er, nannte sie bei dem Namen, den er ihr verliehen hatte zum Zeichen ihrer Freundschaft oder auch Liebe, und dann lagen sie sich in den Armen und küssten sich lange. Später gingen sie auf ihr Zimmer.

Schon am Montag bekam er Bescheid über Marenbachs Öffentlichen Fernsprecher, dass er am Mittwoch zur Vertragsunterzeichnung in die Stadt kommen solle. Er solle seinen Personalausweis mitbringen, ließ man ihm ausrichten. Im übrigen sei es Herrn Lauterbach leider nicht möglich, ihn und seine

Eltern mit dem Wagen abzuholen, wie versprochen. Sie sollten doch bitte mit dem Zug anreisen. Natürlich würden ihnen die Reisekosten erstattet.
»Na ja, auch gut«, sagte Franz. Sein Vater telefonierte mit seiner Behörde und bat um einen Tag Urlaub. Die Eltern schauten ihre Kleidung durch, ob sie sich auch für einen solchen Anlass eignete. Dass Karin nicht mitwollte, passte Franz nicht so recht, aber er sah ein, dass er ihr nicht zumuten konnte, dafür einen ganzen Urlaubstag von den achtzehn zu opfern, die ihr zustanden.
Am Montag setzte Franz sich mit seinen auf Hochglanz gebrachten Eltern in den Bus nach Buschroth, wo sie den Zug nach Siegburg nahmen. In Siegburg mussten sie umsteigen, gegen elf Uhr waren sie in Köln, wo sie abermals umsteigen mussten. Gegen Mittag waren sie endlich in der Stadt der Borussen. »Eine Himmelfahrt«, sagte seine Mutter.
»Es wäre tatsächlich besser, die würden die Siegburger Strecke stilllegen, wie geplant«, meinte sein Vater, »dann könnten wir mit dem Bus direkt hinfahren und brauchten nicht den Umweg über Buschroth zu machen.«
Sie waren verschwitzt und kamen sich von der langen Fahrerei zerknautscht vor. »Dass uns der Hennes auch nicht abgeholt hat«, sagte Franz. »Das hatte er doch fest versprochen. Passt auf, aus der Flasche Sekt wird bestimmt auch nichts.«
Die Vertragsunterzeichnung sollte um zwei Uhr im Klubheim stattfinden und bis dahin hatten sie gerade noch Zeit, in einem Restaurant eine Kleinigkeit zu Mittag zu essen; denn hungrig waren sie auch.
»Es ist alles nicht so, wie man sich das vorstellt«, sagte der Vater. »Was denkt ihr, was ich in der Beziehung schon erlebt hab.«
Um zum Klubheim der Borussia zu kommen, mussten sie zuerst eine Straßenbahn, später dann noch einen Bus nehmen. Und von der Bushaltestelle waren es noch bestimmt zehn

Minuten zu Fuß bis zur Borussen-Sportanlage. Diese bestand aus zwei Aschen- und einem Rasenplatz, dem Klubheim und den Umkleide- und Geräteräumen. Franz kannte das schon von der Zeit des Probetrainings her und er konnte seinen Eltern ein paar Dinge erklären.

»Das ist aber riesig«, sagte seine Mutter. Auf dem Rasenplatz tuckerte eine Mähmaschine, eine Berieselungsanlage war in Betrieb und schleuderte Wasser hinaus, auf einem der Aschenplätze tobte eine Schulklasse herum, der Lehrer betätigte die Trillerpfeife.

Franz drängte zur Eile, er hatte Herzklopfen und wollte die ganze Angelegenheit so schnell wie möglich hinter sich bringen, während seine Eltern sich die Anlage gern etwas genauer angesehen hätten. »Die warten doch sicher schon auf uns«, sagte er. Dies, so hatte er im Gefühl, war kein schöner Tag, zuviel Aufregung war damit verbunden, zuviel hing für ihn davon ab. So ein Vertrag, was der für ihn bedeutete, davon machten sich seine Eltern ja gar keine rechte Vorstellung. Ein Profi zu sein, das war schon was. Und eigentlich sah er überhaupt nicht ein, warum der Klub darauf bestand, dass er unbedingt seine Lehre zu Ende brachte. Die hatten doch glatt eine neue Lehrstelle für ihn ausfindig gemacht, eine Lehrstelle in einem Kaufhaus, wo eine Verbindung bestand zwischen Kaufhausdirektion und Klub-Präsidium. Aber wenn der Klub unbedingt wollte, die paar Monate würde er auch noch dranhängen; wenn dem soviel daran lag, dann tat er ihm den Gefallen. Aber das lag etwas außerhalb seiner Absichten. Erst mal den Vertrag, dann würde man weitersehen.

Seinen Eltern, die auf etwas Solides aus waren, war das natürlich lieb. »Du musst eine Grundlage haben, Fußballer ist doch kein Beruf«, hatte sein Vater gesagt.

Na ja, lächelte Franz vor sich hin, da war er denn doch etwas anderer Ansicht. Wenn die wüssten, was für ein Schweinegeld da verdient wird, dachte er. Er war gespannt, welche Summe

in seinem Vertrag stehen würde. Er hatte natürlich damals mit Lauterbach darüber gesprochen. »Wart's ab«, hatte der gesagt und eigentlich war es ihm auch ganz egal. Hauptsache erst mal einen Vertrag, der ihn als Fußball-Profi auswies.
Er erinnerte sich, dass er auch mit einem Rechtsanwalt gesprochen hatte, jedenfalls hatte er sich ihm gegenüber als Rechtsanwalt vorgestellt, tatsächlich war er wohl der Rechtsberater des Klubs. Und tatsächlich hatte natürlich nicht er mit dem Rechtsanwalt, sondern der Rechtsanwalt mit ihm gesprochen. Er hatte lediglich zugehört. Da war einmal von dieser Lehrstelle die Rede gewesen, zum anderen von einem Apartment, das ihm der Klub unentgeltlich zur Verfügung stellen wolle, dann aber auch von einer »vertraglichen Vereinbarung«. Er hatte mit dem Begriff nicht allzu viel anfangen können, aber da das Wort »Vertrag« darin enthalten war, schien alles in Ordnung.
Er betätigte die Klingel an der Tür, er kannte das ja nun schon, und wartete auf den Rückruf des Heimwarts Jumpertz durch die Gegensprechanlage. »Ja, bitte?«, schnarrte es denn auch aus der Anlage.
»Schäfer hier«, sagte Franz.
»Weiß Bescheid«, antwortete Jumpertz, dann summte der Türöffner und sie betraten das Klubheim; da war das riesige Foyer mit den Türen zu den Umkleideräumen, in einer Ecke die Tür zu Jumpertz' Wohnung, unter der der Heimwart in seinem obligaten Kittel stand und ihnen entgegenlächelte.
»Da ist wohl heute ein Vertrag fällig«, sagte er und lachte.
»Glaub schon«, antwortete Franz und fühlte so etwas wie Stolz in sich aufsteigen. »Das sind meine Eltern.« Vater und Mutter nickten artig mit den Köpfen. »Das ist der Heimwart Jumpertz.«
Der rundliche, jovial und gemütlich wirkende Mann nickte ebenfalls, ohne die Hände aus den Taschen seines Kittels zu nehmen.
»Die Herren werden gleich kommen«, sagte er. »Sie können

ja schon mal nach oben gehen. Du kennst dich ja aus hier.« Damit verschwand er wieder in seiner Wohnung.
So gut kannte sich Franz zwar nicht im Klubheim aus, doch er wollte sich keine Blöße vor seinen Eltern geben, hatte zustimmend gemurmelt und ging auf die breite Treppe zu, die in einem geschwungenen Bogen zum oberen Stockwerk hinaufführte, wo die übrigen Klubzimmer lagen: verschiedene Besprechungszimmer und der Saal. Es stand auch eine Bank dort und Franz steuerte darauf zu, bedeutete seinen Eltern mit einer Handbewegung, dass sie sich setzen könnten und steckte die Hände in die Hosentaschen.
Vater und Mutter setzten sich. Sein Vater wischte sich die feuchten Hände mit dem Taschenbuch ab. Seine Mutter entnahm ihrer Handtasche eine Flasche Kölnischwasser, betupfte ihre Handfläche und rieb sich die Flüssigkeit über die Stirn. Es war sehr warm in dem Haus.
Franz lief unruhig auf und ab. Wenn nur erst alles vorbei wäre. Diese verflixten Formalitäten. Lieber hätte er das alles allein abgemacht, ohne seine Eltern. Aber er wurde erst im August achtzehn und volljährig, sodass ihr Dabeisein notwendig war. Endlich hörten sie die Türklingel, darauf das Gebrabbel in der Sprechanlage und den Türsummer. Franz sah einen Mann mit verschiedenen Apparaturen um den Hals das Haus betreten, einen jungen Mann mit kurzem, blondem Haar, der zielstrebig auf die Treppe zueilte und sie hinaufsprang. Dann sah er plötzlich Franz, verhielt den Schritt und sagte: »Bin ich zu spät?«
»Wofür?«, fragte Franz.
»Da soll heute so ’n Vertrag unterschrieben werden.« Jetzt gewahrte er die herausgeputzten älteren Leute auf der Bank und unterbrach seine Rede. »Ihre Eltern?«, fragte er. Franz nickte. »Ach, dann sind Sie das?« Franz nickte abermals. »Na, fein«, sagte der Mann. »Ich bin hier von der Zeitung. Das machen wir immer so, wenn ein neuer Vertrag gemacht wird.

Darf ich Sie nach Ihrem Namen fragen?« Der Journalist zückte sein Notizbuch und einen Kugelschreiber.
»Franz Schäfer.«
»Und wo kommen Sie her?«
»Aus Schmalkotten!«
Der Journalist sah ihn fragend an.
»Das liegt im Bergischen Land.«
»Aha, und wo haben Sie bisher gespielt?«
»Beim Höher SV.«
»Sie werden entschuldigen«, der Journalist lächelte, »aber ist es schlimm für einen Sportjournalisten, wenn er den Verein nicht kennt?«
»Wir haben mit um die Deutsche Jugendmeisterschaft gespielt. Das hat in allen Zeitungen gestanden.«
»Interessant.« Der Mann machte sich Notizen. »Passen Sie auf, ich mache jetzt eine Aufnahme von Ihnen, vielleicht zusammen mit Ihren Eltern, das wäre mal was anderes. 'ne kleine Story dazu, doch, das käme hin. Ich bin nämlich in Eile, verstehen Sie. Dann brauche ich nicht zu warten, bis der Lippmann kommt.«
Franz fühlte sich von dem Mann angefasst und auf die Bank zu seinen Eltern dirigiert, die der Journalist mit einer Handbewegung auseinander schob. Dann bugsierte er Franz, der sich ziemlich unglücklich vorkam, in die dort entstandene Lücke. Aber vielleicht war das alles ganz normal, es schien jedenfalls, als habe der Journalist Erfahrung in diesen Dingen. Der kniete sich in einiger Entfernung hin, brachte seinen Fotoapparat in Stellung, knipste, sagte: »Moment, ich mach gleich noch eine«, und knipste wieder, wobei jedes Mal das Blitzlicht aufschoss und sie blendete. Dann packte er alle Apparaturen wieder zusammen, lächelte ihnen zu, rief: »Besten Dank« und rannte schon die Treppe hinunter, als sich unten eben die Tür öffnete und ein älterer, kleinwüchsiger Herr das Foyer betrat. »Hallo!«, rief der Journalist diesem Mann zu. »Bin schon

fertig, Herr Lippmann. Der junge Mann dort oben war so freundlich . . .« und ließ die zweite Hälfte des begonnenen Satzes unausgesprochen, war schon verschwunden. Die Tür fiel hinter ihm ins Schloß, Herr Lippmann schüttelte den Kopf, lächelte nach oben wie zur Entschuldigung und kam Franz und seinen Eltern entgegen, die längst ihren Platz verlassen und sich zum Empfang des Präsidenten zurechtgestellt hatten.
Denn dass Herr Lippmann der Präsident der Borussia war, das wusste Franz und diese Information hatte er auch seinen Eltern eben noch zuflüstern können. Franz schwitzte entsetzlich unter den Achseln. Das Hemd würde dort durchnässt sein. Ein Deodorant hatte er natürlich nicht bei sich. Er würde gleich stinken wie ein Ferkel, fiel ihm ein und er reichte Herr Lippmann die Hand, kaum dass er den Podest des Stockwerks erreicht hatte.
»Lippmann«, sagte der Präsident. Man gab sich die Hand. Der Vater murmelte so etwas wie »Angenehm«. »Das ist ja sehr schön«, fuhr Harry Lippmann fort und steuerte auf eine der Türen zu, Franz mit seinen Eltern im Gefolge. »Herr Collin ist auch schon da, ich hab ihn unten gesehn, dann werden wir ja bald soweit sein. Aufgeregt?« Er wandte den Kopf nach hinten, lächelte. Er hatte ein paar Goldzähne im Mund.
Franz zuckte die Schultern. »'n bisschen«, sagte er. Herr Lippmann öffnete die Tür und sie betraten einen reich dekorierten Raum, vollgestellt mit Fahnen, Standarten und Wimpeln, behängt mit Bildern und Urkunden, bestückt mit Pokalen in blau ausgelegten Vitrinen. In der Mitte ein ovaler Tisch. Wahrscheinlich war dies das Vorstandszimmer. »Nehmen Sie doch bitte Platz. Was kann ich Ihnen anbieten? Eine Erfrischung oder einen Kaffee?« Während des Stühlerückens sagte Herr Schäfer: »Wenn ich ein Bier haben könnte.«
»Aber selbstverständlich. Und Sie, Herr Junior? Gnädige Frau?«
»Ach, vielleicht ein Tässchen Kaffee«, sagte Frau Schäfer.

»'ne Limo oder 'ne Cola«, antwortete Franz.
Harry Lippmann drückte auf die Taste einer Sprechanlage. Eine krächzende Stimme erscholl darauf, der man die Worte »Ja bitte« entnehmen mochte. »Ein Bier, eine Limo und eine Tasse Kaffee bitte. Und stellen Sie den Sekt kalt für nachher.«
Franz durchrieselte es wohlig. Alles lief seinen Gang, es würde sogar Sekt geben. Sie saßen da, rieben die Hände vor Verlegenheit aneinander und schauten sich lächelnd an. Herr Lippmann setzte sich der Schmalkottener Abordnung gegenüber. Dann öffnete sich die Tür und ein weiterer Herr des Vorstands betrat den Raum, deutete eine kurze Verbeugung an. Franz kannte ihn, es war der Rechtsanwalt, der mit ihm vor einer Woche gesprochen hatte.
»Das ist Rechtsanwalt Collin, unser Lizenzspielerobmann«, sagte Präsident Lippmann. Man begrüßte sich per Handschlag, war aufgestanden, setzte sich wieder. Eine Weile später erschien der Heimwart Jumpertz mit den Getränken auf einem Tablett. »Wenn's soweit ist, sagen Sie mir Bescheid«, sagte er zum Präsidenten.
»Ah ja, natürlich, danke, Herr Jumpertz.«
Die Getränke wurden verteilt, Verschlüsse geöffnet, Collin nahm Papiere aus seinem Aktenkoffer, breitete sie vor sich aus. Herr Schäfer ließ Bier ins Glas schäumen, füllte dann und wann nach, Franz kippte die Limo ins Glas, Frau Schäfer rührte Milch unter den Kaffee in ihrer Tasse.
»Tja«, sprach Harry Lippmann und faltete die Hände auf der Tischplatte, »dann wollen wir mal. Herr Collin wird Ihnen nun ein Exemplar des Vertrages geben und dann gehen wir gemeinsam sämtliche Punkte noch einmal in Ruhe durch. Herr Collin liest sie vor und wenn Sie, meine Herrschaften, etwas nicht verstehen, fragen Sie bitte. Herr Collin ist unser Rechtsberater, wie gesagt, und er wird dann die notwendigen Erläuterungen geben. So, wenn Sie nun so freundlich sein wollen?« Er nickte Collin zu, worauf dieser Exemplare des

Vertrages über den Tisch auf die Gegenseite schob. Herr Schäfer und Franz griffen zu und zogen sich ein Exemplar heran. Frau Schäfer lächelte entschuldigend und ließ das für sie bestimmte Exemplar auf der Tischmitte liegen. Herr Collin sammelte es wieder ein.

»Fangen wir an«, sagte Rechtsanwalt Collin. »Vertragliche Vereinbarung«, las er vor, »zwischen Herrn Franz Schäfer, im weiteren Spieler genannt, und dieser vertreten durch seine anwesenden Eltern, und dem Fußballklub Borussia von neunzehnhundertzehn e.V., im folgenden als Verein bezeichnet, und dieser vertreten durch seinen Präsidenten Harry Lippmann, wird folgende vertragliche Vereinbarung getroffen. Paragraph eins: Der Spieler ist Amateur im Sinne der Bestimmungen des Deutschen Fußballbundes . . .«

»Aber . . .«, sagte Franz. Er musste schlucken und stockte in seinen Worten.

»Ja, bitte?«, fragte Collin freundlich.

»Ich meine, wieso Amateur.« Franz war wie vor den Kopf geschlagen. »Davon war doch nie die Rede gewesen. Ich dachte, ich sollte hier 'nen Lizenzspielervertrag kriegen. Dacht ich wenigstens.«

Herr Lippmann hob die Augenbrauen und sah Herrn Collin fragend an. »War das denn nicht vorher geklärt?«, fragte er.

»Aber natürlich«, antwortete Collin. »Wir haben doch eingehend miteinander gesprochen, Herr Schäfer.«

»Weiß ich nix von«, sagte Franz. Er war wütend, hätte am liebsten den Vertrag wieder auf die andere Tischseite geschoben.

»Aber, Fränzchen«, sagte seine Mutter.

»Da musst du still sein«, sagte Franz. »Davon verstehst du nix. Die wollen mich hier übers Ohr hauen.«

»Davon kann doch überhaupt keine Rede sein«, Rechtsanwalt Collin lächelte. »Herr Schäfer, Sie werden doch zugeben müssen, dass wir miteinander eingehend gesprochen haben?«

»Gesprochen, ja. Aber nicht darüber, dass ich Amateur bleiben sollte.«
»Sie werden sich doch sicher erinnern, dass von einer vertraglichen Vereinbarung gesprochen wurde.«
»Ja, das stimmt.«
»Na, sehn Sie. Wenn wir vorgehabt hätten, Ihnen einen Lizenzspielervertrag zu geben, wäre doch wohl auch von einem solchen Lizenzspielervertrag die Rede gewesen. Das ist doch klar, oder?«
»Mir nicht«, Franz legte den Vertrag aus der Hand.
»Ich versteh das alles nicht so ganz«, mischte sich jetzt Herr Schäfer ein. »Was ist denn da der Unterschied?«
»Überhaupt keiner«, antwortete Collin wie aus der Pistole geschossen, als habe er nur auf dieses Stichwort gewartet. »Das ist doch der springende Punkt: für uns alle ist das nur von Vorteil. Ihr Sohn kann als Amateur, mal unter uns gesprochen, ebenso viel verdienen wie als Lizenzspieler. Es gibt da ja auch genügend Beweise, wo sogar A-Nationalspieler weiterhin Amateure waren. Doch nicht für 'nen Appel und 'n Ei, um es mal salopp auszudrücken. Die werden ihre Gründe gehabt haben, wie wir. Ihr Sohn kriegt von uns einen Unterhaltsbeitrag von 500 Mark im Monat; an den Prämien ist er sowieso beteiligt, wenn er spielt. Das steht auch gar nicht im Vertrag. Wir garantieren für seine Ausbildung als Einzelhandelskaufmann und stellen ihm kostenlos ein Apartment zur Verfügung. Mehr würde er auch als Lizenzspieler nicht bekommen.«
»Das passt mir aber nicht«, sagte Franz und verschränkte die Arme vor der Brust. »Ich seh schon kommen, dass ich dann hier in der Amateurmannschaft spielen muss. Dann hätte ich auch auf der Höh bleiben können. Der Kirschbaum zahlt den Senioren auch ganz schön was und ich wär zu Hause, hätt das Theater mit Karin nicht, dann die Lehrstelle wechseln. Ich geb ja auch was auf.«
»Ja, willste denn jetzt alles hinschmeißen und mit uns wieder

nach Hause fahren?«, rief sein Vater aufgebracht. »Uns dem Spott von all den Leuten im Dorf ausliefern? Da mach ich nicht mit, mein Sohn. Hier wird Nägel mit Köppen gemacht. Und wenn das genauso gut wie 'n Vertrag ist, dann unterschreib ich. Mir ist sowie lieber, dass du deine Lehre zu Ende machst. Immer wieder die Stelle wechseln und das als Lehrling. Wie sieht das denn aus? Was war ich froh, als ich bei dem Hiestermann in Drisetten die einzige Lehrstelle für dich ergattern konnte, die es bei ihm gab, das war 'n Ringeltäubchen. Und dann Knall auf Fall zum Kirschbaum nach Höhe, alles wegen dem Fußball. Jetzt ist Schluss, mein Sohn. Hier wird unterschrieben. Er kann doch später immer noch Profi werden?«, wandte er sich an die Herren auf der anderen Tischseite, die dem Disput zwischen Vater und Sohn aufmerksam und wahrscheinlich belustigt gefolgt waren.
»Aber selbstredend«, beeilte sich Präsident Lippmann denn auch zu bestätigen. »Er fängt ja gerade erst an, ihm stehen doch sämtliche Türen offen. Auch als Amateur. Herr Collin deutete das eben schon an. Da gibt es ja kaum einen Unterschied.«
»Für Sie kommt das aber gewaltig billiger«, warf Franz ein, löste die Arme aus ihrer Verschränkung und nahm wieder das Blatt Papier zur Hand. Es kam ihm vor, als werde darin seine Niederlage besiegelt.
»Zugegeben«, sagte Rechtsanwalt Collin und lächelte, »aber Sie haben keinen Schaden dabei. Mit Herrn Kirschbaum sind wir uns übrigens weitgehend einig. In der nächstjährigen Sommerpause machen wir mit der Borussia ein Spiel gegen eine Kreisauswahl, wahrscheinlich in Buschroth. Sie müssen dann gleich noch Ihre Abmeldung unterschreiben, damit wir das nicht vergessen. Hennes Lauterbach ist morgen mit Herrn Kirschbaum verabredet. Sie brauchen nicht mehr hin, auch wegen Ihrer Lehrstelle nicht.«
Franz fiel ein Stein vom Herzen und sein ganzer Trotz und seine Enttäuschung wegen des Vertrags schmolzen dahin. Der

Weg zu Herrn Kirschbaum, um seine Papiere zu holen, hatte wie ein Alp auf ihm gelastet. Die Abmeldung vom Verein hätte er ja schriftlich machen können, aber um die Papiere zu bekommen, hätte er wohl persönlich in der Möbelfabrik erscheinen müssen. Seine Miene hellte sich auf und Harry Lippmann strahlte ihn plötzlich an und fragte: »Na, zufrieden?«
Franz nickte, zuckte anschließend aber auch gleich wieder die Schultern und sagte: »Na, ja.«
»Stören Sie sich nicht an ihm«, sagte Herr Schäfer. »Der soll erst noch lernen, was das eigentlich ist, das Leben. Der soll froh sein, dass es ein paar Leute gibt, die für ihn sorgen.«
Franz sah ärgerlich zu seinem Vater hinüber. Warum der sich so ereiferte. Das war schließlich sein Leben und sein Vertrag und sein Vater wusste anscheinend überhaupt nichts über die Dinge, die im Fußballgeschäft liefen. Der hatte ganz falsche Vorstellungen davon, Vorstellungen aus der Zeit, während der er einmal Fußball gespielt hatte. Natürlich beim SV Schmalkotten, diesem Säuferverein, wo man vom Frühschoppen aus am Sonntag auf den Platz ging und stolz darauf war, mit gesoffenem Kopp zu spielen. Er kannte das doch. Und er war heute noch Herrn Kirschbaum dankbar, dass er ihn da herausgeholt und nach Höhe gebracht hatte. In diesem Schmalkottener Verein wäre er als Fußballer verloren gewesen.
Er wusste auch, was ihm hier bei der Borussia blühte, er wusste, dass er einiges würde tun müssen, um überhaupt zum Spielen zu kommen und nicht auf der Reservebank zu versauern. Er ahnte, was von ihm verlangt werden würde. Er würde doppelt so gut sein müssen wie sein Konkurrent auf dem Linksaußenposten. Das war »Backe« Wangenmüller, einer von der alten Borussia-Garde. Aber er wusste auch, dass er als Amateur gleich in einer ungünstigen Lage gegenüber den richtigen Profis sein würde. Die nähmen ihn doch gar nicht für voll. Als Amateur müsste er dreimal so gut sein wie sie. Aber sein Vater hatte auch wieder recht: nach Hause gehen und

»April, April!« sagen und so tun, als sei alles nur ein Scherz gewesen, das ging nun nicht mehr.
»Können wir fortfahren?«, fragte Collin.
»Ja, natürlich«, sagte Herr Schäfer und auch Franz nickte und Herr Collin, der Rechtsanwalt, las die weiteren Paragraphen vor. Es gab keine weiteren Fragen mehr zum Vertragstext. In weniger als einer Viertelstunde waren die erforderlichen Unterschriften auf die Vertrags-Ausfertigungen gebracht und sie standen zusammen und tranken tatsächlich doch noch ein Glas Sekt auf den Abschluss.
Gegen Abend war die Familie Schäfer wieder zu Hause in Schmalkotten. Man hatte vereinbart, dass Franz noch im Laufe der Woche zurückkommen und das Training aufnehmen solle. Auch werde er sein Apartment beziehen und sich bei seiner neuen Lehrstelle in einem Kaufhaus vorstellen müssen. Übrigens, wurde ihm bedeutet, sei der Kaufhausdirektor ein guter Bekannter von Präsident Lippmann, entsprechend werde er dort aufgenommen und eingesetzt. Nachmittags habe er Zeit fürs Training, die Vormittage müsse er zumindest bis zu seiner Prüfung, die frühestens in einem halben Jahr stattfinden könne, im Kaufhaus verbringen.
Die Würfel waren gefallen, Franz war es recht so. Er konnte ja gar nicht mehr zurück. Sie hatten ihn regelrecht überfahren, aber wie er sich kannte, würde er schon etwas aus dieser Lage zu machen versuchen. Er war der beste Linksaußen in seinem Alter und da wäre es doch gelacht, wenn er es nicht mit Fleiß und Ausdauer und einer gehörigen Portion Ehrgeiz schaffen würde. Wenn er nur gesund bliebe und keine Verletzung kassierte. Die Lehrsätze der modernen Leistungsgesellschaft hatte er durchaus begriffen.
Nach dem Abendbrot ging er zu Wünsches Haus hinauf und holte Karin ab. Es war ein warmer Sommerabend, Mitte Juli, und sie nahmen ihren vertrauten Weg zur Höhn hinauf, wo es einen gemütlichen Hochsitz gab, auf dem sie schon oft zusam-

men gesessen und sich unterhalten hatten. Er war sich noch nicht im klaren darüber, ob er Karin überhaupt von der Vertragsgeschichte erzählen sollte. Er brauchte es ja nicht unbedingt zu erwähnen, für Karin war ohnehin nur wichtig, dass er fortginge. Er wusste, dass sie immer noch nicht drüber weg war. Ihre Freundschaft hatte sich durch die besonderen Umstände in letzter Zeit etwas abgekühlt. Aber das würde schon wieder werden, Franz stellte sich das Zusammenleben mit Karin in den buntesten Farben vor.
Er legte den Arm um ihre Hüfte, neigte seinen Kopf zu ihr hinunter und wollte sie küssen, aber Karin bog den Kopf zur Seite und wich seinem Mund aus. »Ist was?«, fragte er. Sie zuckte mit den Schultern.
»Was soll schon sein«, sagte sie. »Wann wirst du gehn?«
»Darüber brauchen wir doch heute Abend nicht zu sprechen.«
Er hatte ganz etwas anderes vorgehabt, mit ihr zusammenzuhocken und Pläne zu schmieden für später, ihre Zukunft voreinander ausbreiten, der Abschied sollte noch ausgeklammert bleiben. Wenigstens heute Abend.
»Ich weiß noch nicht«, antwortete er dann noch. »Aber das ist doch gar nicht so wichtig.«
»Und ob.«
»Warum denn?«, fragte er. »Es braucht sich doch nichts zu ändern.«
»Alles ändert sich.« Sie schaute ihn von unten her an. »Du gehst fort, verdienst viel Geld, uns hast du schnell vergessen.«
»Wovon redest du eigentlich?« Das alles mochte er gar nicht glauben, er hatte doch die besten Absichten. Und dass jemand seine Heimat verließ, um draußen sein Glück zu machen, das hatte es schließlich schon zu allen Zeiten gegeben, das stand in allen Lesebüchern, davon handelten viele Romane. Er wollte sie doch gar nicht verlassen. Aber Karin verkomplizierte nun alles und das machte ihn mutlos. Was sollte er ihr eigentlich noch sagen? Sie glaubte ihm sowieso nicht. Am besten ginge

er gleich morgen weg, damit es zu Ende wäre, damit sie sich besänne, zur Ruhe käme. Das war vielleicht die Lösung.

Sie hatte auf seine Frage nicht geantwortet, wortlos schritten sie eine Weile nebeneinander her, bis er es aussprach: »Ich fahre morgen früh.« Sie blieb sofort stehen und er nahm sie in seine Arme, presste seinen Mund auf den ihren, aber ihr Mund war hart und unbeteiligt. Sie schüttelte den Kopf. »Mach mich doch nicht unglücklich«, sagte sie, wandte sich ab und ging zum Dorf zurück.

Er sah in der einsetzenden Dämmerung, wie ihre Schultern zuckten. Jetzt heult sie auch noch, dachte er, und er ging ihr nach, holte sie wieder ein, aber nun wollte sie sich nicht einmal von ihm anfassen lassen, sie wehrte seine Hand ab, mit der er nach ihrer Hand hatte greifen wollen. Sie weinte wirklich und dann rannte sie plötzlich los und er blieb stehen und starrte ihr verständnislos nach, wie sie um die nächste Wegbiegung verschwand. Er begriff überhaupt nichts. Verdammt, dachte er, das ist wohl der Abschied. Nichts mehr zu retten. Er musste zusehen, dass er von hier wegkam. Sein Entschluss stand fest, morgen würde er fahren.

5

Hennes Lauterbach nahm ihn beiseite. Sie standen am Rande des Sportplatzes, das Training war beendet; sie waren bereit nach Hause zu gehen. »Wart mal 'nen Moment«, sagte Hennes und Franz stellte seine Trainingstasche ab, hob die Ellbogen auf das Rohrstaket und lehnte sich dagegen.

»Was gibt's denn?«, fragte er.

»Pass mal auf, Kleiner.« Hennes machte ein besorgtes Gesicht, »wir wissen alle, wie gut du bist. Aber zeig's uns bitte nicht dauernd. Ist ja zum Kotzen, wie du dich manchmal ins Zeug legst.«

Franz verstand nicht. »Kapier ich nicht. Hab ich was falsch gemacht?«

»Natürlich nicht.« Hennes winkte müde ab. »Du kannst gar nichts falsch machen, dazu bist du viel zu ehrgeizig. Du machst nur den Fehler, alles noch besser machen zu wollen. Es genügt, im Training so hart zu arbeiten wie wir alle. Kapiert?«

Franz nahm seine Tasche auf. »Nee.«

»Dann wirst du's noch lernen müssen. Aber eines will ich dir mit auf den Weg geben: gegen mich kommst du nicht in den Kader.«

Franz hob den Kopf. »Wie versteh ich denn das? Sag wenigstens, was ich machen soll. Mit Andeutungen kann ich überhaupt nichts anfangen.«

Hennes winkte den anderen zu, die, ihre Trainingstaschen schlenkernd, die Umkleideräume verließen und an ihnen vorübergingen. Es war jetzt einen Monat her, dass Franz dort drüben in dem rotverklinkerten Bau des Klubheimes diese ominöse Vereinbarung unterschrieben hatte.

Seither ging er morgens seiner Arbeit in dem Kaufhaus nach,

Abteilung Herrenkonfektion, wartete auf Kunden, bediente sie, schrieb Verkäufe in den Block, half beim Aus- und Einräumen, bereitete sich auf die Prüfung vor; oder er ging zur Berufsschule. Mittags nahm er dann an dem zweistündigen Training teil.

Er wusste genau, dass er auf diese Weise beim Wettlauf um einen Stammplatz in der Mannschaft mit den Konkurrenten nicht würde Schritt halten können. »Backe« Wangenmüller konnte von ihm nicht vertrieben werden, zumal der in der Mannschaft gut gelitten war. Franz versuchte das Manko durch Trainingsfleiß auszugleichen. Irgendwie und irgendwo musste er doch dem Trainer auffallen, er musste herausragen aus der Schar der Kollegen. Und er nahm das Training ernst, ernster jedenfalls als all die älteren Hasen, die, wenn ein Spurt befohlen war, in einer Reihe liefen und gemeinsam durchs gedachte Ziel gingen oder sich bei der Gymnastik nicht allzu sehr anstrengten, wenn der Trainer woanders hinblickte.

Franz hatte schnell heraus, dass diese Leute ihren Beruf nicht sehr ernst nahmen. Die nächste Saison war ihnen sicher, sie hatten alle ihre gutdotierten Verträge, galten etwas im Klub, der Trainer kannte sie und sie konnten natürlich auch etwas. Es waren fünfzehn perfekte Fußballspieler, das stand fest. Auch für Franz. Von den neuen, die es in dieser Saison beim FC Borussia gab, waren zwei »fertige« Spieler: Robert Monschau und Fred Hanke. Sie hatten schon in der Junioren-Nationalmannschaft gespielt und waren fest in den Mannschaftskader eingeplant. Bei Hans Helbig war das noch nicht so sicher, sodass auch der etwas bringen musste.

Für Franz Schäfer war, wie er die Dinge betrachtete, in der neuen Saison so gut wie nichts drin. Wenn er mit in den Kader käme, in den Mannschaftskreis, der die Spiele letztlich bestreiten sollte, hätte er schon eine Menge erreicht. Wenn er auf der Reservebank zu sitzen käme, mit dazugehörte, für voll genommen würde, damit nicht jemand wie Hennes Lauterbach kom-

men und ihm sagen konnte: er brauche ihnen nicht immer zu zeigen, wie gut er sei, dann wäre schon viel gewonnen.
Der Hennes hatte gut reden. Der war Mannschaftskapitän und der verlängerte Arm des Trainers Max Wollschläger. Hennes war die personifizierte Mannschaft, er repräsentierte sie, spielte die erste Geige, hatte das Sagen. Ohne Hennes, fand Franz schnell heraus, lief in diesem Klub nichts, gegen ihn schon gar nichts. Und wenn er der Meinung gewesen war, er sei Hennes Lauterbachs liebstes Kind, weil er als seine Entdeckung galt, so sah er sich bald in dieser Meinung getäuscht. Hennes kannte nur ein liebstes Kind und das war er selbst.
Die anderen hatten das Klubgelände verlassen. Der Platzwart kam und sammelte die Bälle ein, nahm die Tornetze ab. Vor dem Gelände hörte man die schnellen Flitzer der Kollegen starten. Sich einen Wagen zuzulegen war noch nicht möglich für Franz. Von dem Unterhaltsbeitrag und dem Lehrlingsgeld konnte er sich zwar etwas beiseite legen, aber viel war das nicht. Also fuhr er nicht nach Hause, blieb hier und langweilte sich mitunter. Freundschaften gab es unter den Kollegen nicht, vielleicht einige engere Beziehungen, die sich durch eine längere Zusammenarbeit im Klub ergeben hatten, mehr aber nicht. Wenn die Arbeit getan war, wie die Spieler das Training oder auch ein Spiel nannten, ging man auseinander, wie man es auch auf anderen Arbeitsstellen tat, fuhr nach Hause zu seiner Familie oder in seine Umgebung, in seinen Freundeskreis; lebte man sein Leben, wenn auch vielleicht nicht so, wie man sich ein »normales« Leben vorstellen mochte. Denn auch für dieses Leben nach der getanen Arbeit gab es genügend Vorschriften, die man als Arbeitnehmer des Vereins zu beachten hatte, wenn man nicht eine Bestrafung riskieren wollte.
Natürlich schlug man schon einmal über die Stränge und dagegen hatte auch niemand etwas einzuwenden; aber beim zweiten Vorfall wurde man schon vor das Präsidium zitiert, erhielt einen Verweis oder flog aus dem Kader und damit

gingen einem die wichtigen Prämien verloren, die erst den Kohl fett machten. Selbst das Essen war reglementiert. Alkohol verboten, Weibergeschichten gab's nicht. Entweder man war verheiratet, was der Klub am liebsten sah, oder man hatte eine feste Freundin. Man wurde zum Gehorsam erzogen, zur Askese und Aufmüpfige gab es unter den Spielern höchst selten. Sie alle verdienten zu viel und man verdiente das große Geld nicht durch Räsonieren, sondern durch Anpassung an das Gewünschte. Das war kein Höher SV mehr, als es in Richtung auf die Deutsche Jugendmeisterschaft ging und schon gar kein BV Schmalkotten.

»Ich weiß natürlich, wie das am Anfang ist«, sagte Hennes Lauterbach. »Man muss es dem Trainer zeigen. Klar, kann ich verstehn. Aber es bringt nichts. Halt dich lieber an mich, dann liegst du immer richtig. Wenn was ist, frag mich, ich geb dir die richtige Antwort. Wenn du was brauchst und ich kann dir helfen, wird das erledigt. Aber tu nichts auf eigene Faust. Mach's so wie die anderen Neuen, wie der Helbig beispielsweise. Der reißt sich auch kein Bein aus. Und du hast in der ersten Zeit sowieso keine Chance, in die Mannschaft zu kommen. Konzentrier dich lieber auf deinen Beruf.«

»Aber der Fußball soll doch mal mein Beruf sein. Mensch, was soll ich denn hier, wenn ich nicht alles zeigen darf, was ich auf Lager habe?« Dieses Gerede nahm ihm jede Energie, es machte ihn unsicher.

»Du hast noch so viel Zeit, Kleiner.«

»Nenn mich nicht immer Kleiner.« Endlich ergab sich für ihn einmal die Gelegenheit, Hennes das zu sagen. »Du bist der Mannschaftsführer, du musst mir gerade jetzt am Anfang helfen, damit ich Boden unter die Füße kriege.«

Hennes lächelte. »Aber natürlich, Kleiner. Reg dich nicht auf, es wird alles für dich getan.«

»Nach außen ja, aber hier drinnen in der Mannschaft, da komme ich einfach nicht zurecht. Überhaupt keine Kontakte

hat man da, nach dem Training läuft alles auseinander. Ich hab mir das ganz anders vorgestellt.«
»Du kommst schon noch dahinter, dass das hier nichts anderes als eine Arbeitsstelle ist, so eine wie dein Kaufhaus. Man tut seine Arbeit und aus. Wie gesagt, du hast ja noch deine Lehrstelle. Bring die erst mal hinter dich, dann sehn wir weiter. Solange du nur nachmittags trainierst, bleibst du sowieso draußen. Du hast ja gar keine Kondition. So, das sollte erst mal reichen. Aber ich hab's dir sagen müssen, schließlich bin ich der Kapitän, wie du ganz richtig bemerkt hast. Soll ich dich jetzt mit in die Stadt nehmen?«
Franz stieß sich vom Geländer ab. »Mal was Erfreuliches.«
Sie gingen zusammen den Aschenweg entlang zum Parkplatz, wo Lauterbachs Maserati stand. Wollschlägers BMW war natürlich auch noch da, aber Wollschläger würde sicher so bald nicht gehen. Der saß bestimmt noch mit dem Präsidium im Klubheim zusammen; dort hatte man immer was zu bereden und ein Glas Bier dabei zu trinken. Dem Präsidium und dem Trainer war eine besondere Lebensführung nicht vorgeschrieben.
Lauterbach fuhr ihn bis in die Innenstadt, wo Franz die Straßenbahn nehmen musste, um zu seinem Hochhaus in die Nordstadt zu gelangen. Wenn ihn niemand mitnahm, was auch schon einmal vorkam, war das ein Weg von etwa einer Stunde. Jetzt schaffte er es in einer halben. Es war acht Uhr und er fuhr mit dem Aufzug in den zehnten Stock hoch, schloss die Tür auf und betrat sein Apartment: ein eingerichteter Wohn- und Schlafraum mit einer kleinen Küche. Fenster und Balkon gingen hinaus aufs freie Gelände. Die Nordstadt lag im äußersten Winkel der Stadt, gleich nebenan begannen die Felder und Weiden; in der Ferne sah man die Fabrikschlote aufragen. Die Leute nannten sie »Die zwölf Apostel«. Sie trugen eine ständige Rauchfahne, die sich bei klarem Wetter lang über den blauen Himmel hinzog und zur Wolkenbildung beitrug. Franz hatte das inzwischen oft beobachtet.

Hier in dem Hochhaus wohnte man recht angenehm, man hatte mit niemandem etwas zu tun, hatte kein Gegenüber und in seiner »Bude«, wie er das Apartment nannte, fühlte er sich ganz wohl. Dies war noch das Beste an der Stadt. Er schleuderte die Tasche in den Sessel und stellte das Radio ein. Musik strömte in den Raum, füllte ihn aus, gab Franz ein lautliches Gegengewicht und es war, als befinde sich jemand mit in dem Zimmer, als unterhalte sich jemand mit ihm. Was würde er jetzt tun? Jeden Tag das gleiche Problem. Natürlich irgendwo essen gehen, nicht hier draußen, sondern in der City. In diesen Vorstadtkneipen war nichts los, herrschte eine bedrückende Atmosphäre, jedenfalls für ihn. Und das Essen war in diesen Pinten immer gleich: Wiener Schnitzel, Strammer Max, heiße Würstchen. Nichts für ihn. Er musste abends ein Steak haben, viel Salat, wenig Fett, alles nach Vorschrift, dazu Tee oder Milch.
In der City, zumal in der enggebauten Altstadt, war dagegen eine Menge los. Da gab es genug Kneipen und alle waren von unterschiedlicher Art: italienische, balkanische, chinesische, griechische, da gab es moderne und rustikale, da waren Diskotheken und Kinos. Franz lernte hier, wieder ins Kino zu gehen. Jede Woche sah er einen Film, den er sich im Programm aussuchte. Meist etwas Kurzweiliges, etwas Lustiges oder Spannendes. Dann vergaß er seine eigene spürbare Misere.
Denn eine Misere war das auf jeden Fall. Er war zwar Mitglied eines Bundesligaklubs, trainierte sogar mit dieser Bundesligamannschaft, würde aber keines ihrer Meisterschaftsspiele mitmachen, würde nicht einmal in den Spielerkader kommen, wenn nichts geschähe. Geschehen konnte »Backe« Wangenmüllers Ausfall, ein Beinbruch oder eine schwere Krankheit, aber darauf konnte er unmöglich hoffen. Wenn er sich darauf verließ, säße er noch auf Jahre hinaus in der gleichen Zwickmühle. Er musste heraus aus diesem Zustand, denn sonst wäre es für ihn besser gewesen, in seiner angestammten Gegend zu bleiben wie beispielsweise Erich, der Gymnasiast aus ihrer Jugendmannschaft

in Höhe, der sich jetzt einer Amateurligamannschaft angeschlossen hatte und auch Geld verdiente. Ebensoviel wie Franz, gemessen an dem Unterhaltsbeitrag, den der Klub ihm gab. Oder er hätte zu einem Verein der Zweiten Liga gehen und noch mehr Geld verdienen können, denn dann wären ihm ein Vertrag und entsprechende Prämien sicher gewesen.

Aber er wollte ein richtiger Fußballspieler werden, Profi. Da im Kaufhaus herumlaufen und Herrenanzüge verkaufen: »Guten Tag, der Herr, was darf ich Ihnen zeigen«, das hing ihm nachgerade zum Hals heraus. Das war ja, was ihn daran hinderte, seinen wirklichen Beruf auszuüben und seinen Traum vom Leben mit dem Ball am Fuß zu verwirklichen. Denn wenn er erst mit dem Fußball genügend Geld verdiente, käme der Aufbau einer Existenz ganz von selbst; sie ergäbe sich zwangsläufig, da er all das verdiente Geld nicht würde ausgeben können, es verlangte nach solider Anlage und nach weiterem Gewinn. Wenn das erst mal liefe, liefe es von allein. Er sah das doch bei Hennes. Früher mal Elektriker gelernt, besaß er jetzt ein paar Häuser, war Teilhaber einer Wohnungsbaugesellschaft und einer Elektro-Installationsfirma. Dem lief das Geld nach, der brauchte schon gar keinen Finger mehr zu rühren.

Wenn er nicht mehr ins Kaufhaus ginge, könnte auch er am Vormittag trainieren, dann könnte er wenigstens den anderen und dem Trainer seine Vollwertigkeit zeigen. Und dann würde er sich auch von Hennes Lauterbach nicht mehr länger einschüchtern lassen. Von wegen: wir wissen, wie gut du bist, das brauchst du uns nicht ständig zu zeigen. Er zeigte es ja gar nicht diesen Idioten, diesen Neidern, die nur sein Fortkommen behindern wollten, seinen Konkurrenten: er zeigte es dem Trainer und vielleicht auch mal dem allgewaltigen Präsidenten Lippmann, der manchmal mit dabei war und auch ein Wörtchen mitzureden hatte. Wenn die beiden ein Wort für ihn einlegten, könnte ihm auch Hennes nicht mehr dazwischenfunken.

Er musste einfach aufhören, Anzüge auf die Stange zu hängen, anprobierte Hosen wieder in den Spanner zu zwängen, Kleider abzubürsten, sich die Hacken abzulaufen und trotzdem nicht als vollwertige Kraft angesehen zu werden. Im Kaufhaus wusste ja auch jeder, das er kein wirklicher Lehrling war, sondern ein Fußballprofi, der irgendeinen beruflichen Abschluss schnell und einfach hinhauen wollte. Auch die Kaufhaus-Kollegen nahmen ihn nicht für einen Kollegen. Franz wusste das alles ganz genau. Man behandelte ihn wie ein rohes Ei, weil jeder wusste, dass er der Protegé vom allerhöchsten Boss war. Er war also weder das eine noch das andere, weder Fußballer noch Kaufmann, er war tatsächlich ein Zwitterwesen und diesem Zustand galt es schleunigst ein Ende zu bereiten. Er verließ seine Bude, fuhr mit der Straßenbahn in die Stadt zurück, aß im »Pinocchio« ein herzhaftes Steak und eine Schüssel gemischten Salat, schlenderte danach über die Geschäftsstraße, stieß auf die »Lichtburg«, wo es einen dieser verrückten »Halleluja«-Filme gab, und ging hinein. Zum ersten Mal, seit er hier war, spürte er seine Energie, spürte er, dass doch mehr in ihm steckte, als er bisher angenommen hatte. Aber das lag einfach an den Umständen, unter denen er hier lebte. Er musste sie ändern und er fühlte sich auf dem besten Weg. Jetzt würde ihn nichts mehr aufhalten können. Später fuhr er nach Hause und legte sich schlafen.

Das Schlafen wollte ihm hier auch nicht so recht gelingen. Er hatte erhebliche Schwierigkeiten, überhaupt in den Schlaf zu finden, obwohl er sich stets müde fühlte. Ihn bedrängten die seltsamsten Gedanken, während er in seinem Schrankbett lag, zweifellos gut lag, aber auch die beste Lage kann zur Last werden, wenn man sich ihrer ständig bewusst ist.

Wenn er dort stundenlang lag, dachte er an sein Dorf, auch an Karin, aber er dachte daran nicht mit Wehmut oder gar Liebe; seine Gedanken an das, was er jetzt sein »früheres Leben« nannte, standen immer in Verbindung mit dem letzten Abend, als erst Karin, dann das ganze Dorf nichts mehr von ihm hatte

wissen wollen. Jedenfalls war es ihm so erschienen. Diese Gemeinheit trieb ihm den Schweiß auf die Stirn und er schlug um sich in seinen wirren Gedanken, spielte sich auf wie der Held eines der von ihm besuchten Filme und er schlug sie alle. Für Karin hatte er dagegen nur Verachtung übrig.
Sie alle sollten sehen, was aus ihm wurde. Im Fernsehen würden sie ihm dabei zusehen müssen. Er würde erst gar nicht mehr zurückkehren. Er besaß in seinen Gedanken Mädchen genug und er liebte sie reihenweise und sie sahen alle nicht wie Karin aus, eher wie die Weiber in den Illustrierten, die er sich manchmal kaufte, um sich an den Bildern satt zu sehen und er nahm sie onanierend und schwitzend und hernach fühlte er sich elend und schlapp und er schlief erschöpft ein.
Die Liebe mit Karin war schön gewesen, aber er wollte sie nicht mehr, er wollte sich der schönen Gelegenheiten nicht einmal mehr erinnern. Er glaubte sie zu hassen; er wusste es nicht genau, er wollte gar nicht darüber nachdenken.
Seine Eltern spielten in seinen Gedanken keine große Rolle. Sie waren weit weg und er war froh, ihrer fürsorgenden Obhut endlich entronnen zu sein. Er kam zurecht. Essen boten ihm die Restaurants, die Wäsche wusch er in einem jener zahlreichen Waschsalons, das war einfach und praktisch und vollkommen problemlos. Man gab die schmutzige Wäsche in die Trommel, wählte das Programm, warf entsprechende Geldstücke ein und ließ die Maschine die Arbeit machen. Schleudern und Trocknen, das war alles ein Klacks und er erinnerte sich mit Geringschätzung der Klagen seiner Mutter, wenn sie »große Wäsche« hatte. Das war doch stets ein Anlass für familiären Zwist gewesen und seine Mutter war dabei gar nicht ansprechbar. Darüber konnte er jetzt nur lächeln. Und was von seiner Wäsche gebügelt werden musste, gab er in die Bügelei. Es ließ sich alles machen, kein Problem für einen jungen Mann von fast achtzehn, der weiß, was er will.
An diesem Abend lag er in seinem herabgeklappten Schrank-

bett und dachte an den nächsten Tag, an dem er »Nägel mit Köpfen« machen würde, wie es sein Vater bezeichnete, wenn er gewisse Dinge ins Lot bringen wollte. Er hatte ja keine andere Wahl, als zur Direktion zu gehen und um seine Entlassung zu bitten, damit er sich ganz dem Fußball widmen konnte. Auch in dieser Nacht schlief er schlecht und als er am Morgen aus unruhigem Schlaf erwachte, fühlte er sich keineswegs so gut, wie er es sich am Abend zuvor gewünscht hatte. Er war wie zerschlagen, wie gerädert, und auch die Dusche half da nicht viel und alle guten Vorsätze zerstoben wie Seifenblasen. Er war in einer Stimmung, in der ihm alles gleichgültig war, Fußball und Kaufhaus und er sich selbst auch. Er wollte sich treiben lassen, keine Entscheidung treffen. Vielleicht morgen, sagte er sich, vielleicht fühle ich mich morgen besser.
Er frühstückte wie gewöhnlich und fuhr zum Kaufhaus in der City, wie immer während des letzten Monats. Um halb acht hatte er an seinem Platz zu sein, erste Etage, Herrenkonfektion, bevor die Substituten erschienen und die Abteilungsleiter. Und er reihte sich ein in die Menschentraube, die sich von der Straßenbahnhaltestelle zum Bediensteteneingang hinzog, verschwand mit den Hunderten von zumeist Frauen und anderen jungen Männern in der Seitenpforte. Er benutzte nicht den Aufzug, denn der war wie immer besetzt, und ehe der nächste wieder unten war, verging eine Weile. Er nahm die Treppe und war dann auf dem Teppich seiner Etage: dezent dunkel gehaltene Wandverkleidung mit dunklen Holzimitationen, billigem Flitter, um Kunden zu beeindrucken, drapierte Hemden mit Krawatten, hingegossene Jacketts, gestraffte Hosen und dann die Reihe von Stangenware, Anzüge, Mäntel, Jacketts, Hosen. Er nahm seinen gewohnten Weg, begegnete anderen Lehrlingen, nickte kurz, lächelte einem Mädchen zu, kam an seinen Arbeitsplatz, zur Garderobe, wo er seinen Handbeutel ablegte, sich im Spiegel begutachtete, die Frisur, den Sitz seines Anzugs: alles Vorschrift. »Sie sollen Herrenkleidung verkaufen,

meine Herren«, hatte der Abteilungsleiter gesagt. »Kleiden Sie sich deshalb so, dass man Ihren Anzug gern kaufen möchte. Kontrollieren Sie ständig den Sitz Ihrer Kleidung. Üben Sie ein Verkaufserfolgsgesicht, ein dezentes Lächeln, kein überhebliches; wirklich dezent muss es sein. Versuchen Sie's!«
Und er grinste sich schief an in dem Spiegel, zupfte die Hemdärmel zurecht und trat hinaus. Von gestern waren ein paar Sachen in den Kabinen hängen geblieben. Er ging los, sammelte sie ein, hob sie auf Bügel, gab Hosen auf Spanner, hängte die Sachen an ihre Plätze. Als Jürgens, der Substitut, kam, sah es so aus, als sei er stark beschäftigt. Er grüßte: »Guten Morgen, Herr Jürgens!« Jürgens grüßte zurück. Sein allmorgendlicher Spruch fehlte natürlich auch nicht: »Na, was macht die Borussia?«
»Ich denke, dass sie in der neuen Saison einiges bringen wird«, sagte Franz, wie auch fast jeden Morgen. Es war alles so wie sonst und Franz konnte sich gar nicht vorstellen, dass er gestern Abend noch fest entschlossen gewesen war, heute »Nägel mit Köpfen zu machen«.
Ich finde den Absprung nicht, dachte er. Ich komme heute weg. Aber im Hintergrund seiner Gedanken stand eine Uhrzeit: zehn Uhr dreißig, der Beginn des Morgentrainings draußen im Mühlenbroich, auf dem Rasenplatz neben dem Klubheim der Borussia. Um zehn Uhr dreißig würden dort die Cracks erscheinen, mit schwingenden Puma-Taschen, die Trainingsjacken übergezogen, deren Schöße im Rhythmus ihrer Schritte flatterten, Arme zum Gruß erhoben, so würden sie erscheinen und er hatte heute morgen dabei sein wollen. Aber er hatte sein Trainingszeug erst gar nicht mit in die Stadt genommen, es lag zusammengeknäuelt in seiner Puma-Tasche zu Hause im zehnten Stock des Hochhauses. Vorbei, dachte er, hier bin ich, im ersten Stock eines Kaufhauses, mime den emsigen Lehrling, mache gut Wetter beim Substituten und habe kaum einen Gedanken an meine Fußball-Karriere.
»Wann übrigens«, sagte Jürgens in seinem Rücken, »soll Ihre

Prüfung sein, Herr Schäfer?« Er hatte ihn gar nicht herankommen hören, der Teppichboden dämpfte die Schritte zur absoluten Geräuschlosigkeit.
»Im Oktober, glaub ich«, sagte Franz. Die Prüfung irritierte ihn am wenigsten in diesem Beruf. Er hatte zwar keine Ahnung, was dort von ihm verlangt werden würde, niemand kümmerte sich darum; lediglich in der Berufsschule hörte man hin und wieder etwas darüber. Aber Franz stellte sich vor, er werde eines Tages zur Prüfung gehen wie in dieses Kaufhaus zur Arbeit und sie bestehen, ganz gleich, welche Leistungen er dort brachte. Er musste sie einfach bestehen, weil er ein Fußballprofi werden wollte und dieser Kaufmannsberuf als zusätzliche Sicherung galt, eine reine Formsache.
Schließlich war er der Protegé des Chefs, der wiederum mit Herrn Lippmann, dem Präsidenten der Borussia, befreundet war. Und der Chef hatte natürlich auch seine Beziehungen zur Industrie- und Handelskammer und damit zur Prüfungskommission. Immerhin konnte er zwei und zwei zusammenzählen, konnte sogar leidlich einen Aufsatz aufs Papier bringen. Im Deutschen war er gar nicht schlecht und das, hatte man ihm gesagt, genüge vollauf. Und die fachlichen Dinge kannte er ja nun zur Genüge. In Buchführung war er gar nicht zu schlagen. Die Prüfung war wirklich das wenigste, was ihn beunruhigte. Und als Jürgens fragte: »Na, und wie sieht's da bei Ihnen aus?«, durfte er lächeln und antworten: »Alles in Ordnung.«
»Brauchen wir uns nicht besonders drum zu kümmern? Ich meine, wir würden Sie gerne unterstützen.«
»Nein, nein«, sagte Franz, »darum brauchen Sie sich keine Sorgen zu machen, Herr Jürgens. Heute ist hier sowie mein letzter Arbeitstag.«
Jürgens schien der Donner zu rühren, denn er hob seine Augenbrauen gleichzeitig, was bei ihm und seiner anerzogenen Zurückhaltung schon einiges besagen wollte. »Was?«, fragte er, auch das ein Zeichen von Verwirrung. Man war gewohnt, ihn

bei ähnlichen Gelegenheiten das Wort »Bitte?« aussprechen zu hören. Und Franz lächelte immer noch. Ihm schien gar nicht bewusst zu werden, was er in diesem Augenblick angerichtet hatte, nicht nur bei Herrn Jürgens. Seine Verblüffung zeigte sich erst Sekunden später, als Jürgens fragte: »Ist der Chef schon darüber informiert?« und er »Nein« antworten musste.
Niemand war darüber informiert, nicht einmal er selbst war bis vor wenigen Sekunden darüber informiert gewesen, was er anstellen würde. Es hatte ihn überfallen, er hatte sich entschieden und jetzt gab es kein Zurück mehr. Jetzt musste alles seinen Gang gehen.
»Wie haben Sie sich das eigentlich vorgestellt?«, fragte Jürgens. »So mir nichts, dir nichts. Das ist nicht die Haltung eines Kaufmanns, Herr Schäfer.«
»Ich hatte nie vor, Kaufmann zu werden«, sagte Franz und wusste, dass es nicht stimmte, aber es hörte sich gut an.
»Aha«, sagte Jürgens spitz. »Und was meinen Ihre Eltern dazu? Sind wenigstens sie darüber im Bilde?«
»Ja«, antwortete Franz und fand nichts dabei, dass er log, jetzt ließ er es darauf ankommen. Er pfiff auf diesen Kaufmannsberuf, auf dieses Kaufhaus und die Haltung eines Kaufmanns und dieses ganze »Pipapo«, wie er manchmal dazu sagte. Er war dabei, tatsächlich Nägel mit Köpfen zu machen.
»Aber Sie können doch nicht so ohne weiteres Ihre Lehre aufgeben.« Jürgens brach der Schweiß aus, er betupfte mit einem knapp gefalteten Taschentuch die aufgewühlte Stirn. Und möglicherweise fragte er sich, ob nicht diese ganze Angelegenheit auch auf ihn als den zuständigen Ausbilder zurückfallen könnte. Schließlich stand Franz Schäfer unter der schützenden Hand des Chefs.
»Ich kann es«, sagte Franz Schäfer. »Sie sehen es doch.«
Er fühlte sich fantastisch, er fühlte sich wie der Held in den Filmen, die er sah. Endlich wuchs er über sich hinaus, übersprang er seinen eigenen Schatten. Er merkte, dass diese Ent-

scheidung weitere Energien in ihm freisetzte, und die musste er nutzen. Er war in Fahrt. Ob er dabei auch über das Ziel hinausschösse, interessierte ihn in diesem Augenblick nicht. Er hatte jedes Maß verloren, wollte seine Grenzen erspüren, wollte sehen, wie weit er gehen konnte.
Und als Jürgens ans Haustelefon eilte, um seinen Spruch bei wem auch immer loszuwerden, beim Abteilungsleiter zunächst, der vielleicht gerade erst eingetroffen war, noch gar nicht warm war für den Arbeitstag und die für ihn vorbereiteten Probleme, der ihn, den Substituten, gleich weiterreichte an den Chef persönlich: während dies alles geschah, stand Franz immer noch da zwischen den Kleiderreihen und wurde sich plötzlich seiner Situation bewusst. Er hatte es gewagt und das befriedigte ihn ungemein. Gleichgültig, was dabei herauskäme. Schon allein das Wagnis hatte sich gelohnt.
Schließlich kam Jürgens zurück und bestellte ihm, er möge zum Personalchef gehen. Franz verließ den immer noch mit seinem Taschentuch beschäftigten Substitut und stieg zwei Etagen höher in die Verwaltungsebene, wo er endlich Herrn Papenbrock, dem Personalchef, gegenübertrat, dem Mann, der ihn vor einem Monat erst »mit offenen Armen«, wie er sich damals ausdrückte, empfangen hatte, denn auch er hatte seine Verbindungen zur Borussia. Das ganze Management des Kaufhauses besaß sie, hatte sie zu besitzen, wenn schon der Chef mit drinsteckte; da durfte niemand, der etwas auf sich und sein Fortkommen hielt, zurückstehen. Da hatte jeder seine Jahrestribünenkarte für fünfhundert Mark in der Brieftasche.
»Sie werden mir sicher sagen, was Sie zu diesem Entschluss bewogen hat.« Papenbrock saß hinter seinem Schreibtisch und hatte einen gut gespitzten Bleistift zwischen den schmalen Händen.
Franz Schäfer fühlte sich auf dem Stuhl schon nicht mehr gar so behaglich wie eben noch, als er meinte, ihm könne sowieso nichts passieren. Aber er wollte auch das durchstehen.

»Ja«, sagte er und schluckte. »Das ist nämlich so, Herr Papenbrock: Ich will nun mal Fußballprofi werden und ich kann das nur werden, wenn ich voll trainiere, also vormittags und nachmittags. Ich muss sehen, dass ich in den Kader komme, verstehen Sie. Ich kann mir einen zweiten Beruf gar nicht leisten. Das ist es.«

»Sie haben aber doch hoffentlich Ihr Alter bedacht, Herr Schäfer. Sie sind, wenn mich nicht alles täuscht, noch nicht einmal achtzehn. Sie haben noch sehr viel vor sich. Sie können noch alles werden, auch Fußballprofi, was ich Ihnen übrigens herzlich gönne. Sie haben das Zeug dazu. Aber Ihre Prüfung, Ihre Zukunftssicherung, das alles hat der Klub im Auge. Er legt Wert darauf, dass Sie einen normalen Beruf in der Hinterhand haben. Ihre Lehre einfach abbrechen, nachdem sie ohnehin die Stelle schon zweimal gewechselt haben, wissen Sie, Herr Schäfer, das ist eine harte Entscheidung, die reiflich überlegt sein muss. Ihre Eltern, sagten Sie, wissen Bescheid?«

Franz schluckte. »Ja.«

»Die Meinung des Klubs darüber ist Ihnen nicht bekannt?«

»Noch nicht. Ich will gleich zum Training, dann werde ich sie wahrscheinlich erfahren.«

»Na schön, Herr Schäfer«, sagte Papenbrock, erhob sich ruckartig und reichte ihm die Hand über den Schreibtisch, sodass Franz Mühe hatte, seinem Beispiel zu folgen und die schon seit einer Sekunde frei schwebende Hand zu ergreifen. »Dann wünsche ich Ihnen viel Glück.«

»Ist damit alles erledigt?« Franz konnte noch gar nicht fassen, dass nun alles, was diesen Beruf betraf und die Aufgabe dieses ungeliebten Berufs, erledigt sein sollte.

»Ich denke schon.« Papenbrock zog seine Hand zurück und nahm wieder Platz. »Sie werden von uns hören. Kann auch sein, dass sich der Klub noch mit Ihnen in Verbindung setzt. Sie sind ja nicht aus der Welt.« Herr Papenbrock lächelte dünn. Franz durfte gehen. Er sprang die Treppen hinab und hätte am

liebsten laut gejubelt, er kam sich wie befreit vor. Er rannte in die Herrenkonfektion und traf auf Herrn Jürgens, den er anlachte. »Auf Wiedersehen, Herr Jürgens«, rief er, »vielleicht lasse ich mich mal wieder blicken, dann trinken wir ein Bier zusammen.« Er nahm seine Tasche und schwenkte sie durch die Luft. Ein paar Kollegen standen in einiger Entfernung herum und sahen verständnislos zu, wie Franz davonwirbelte.
»Tschüs!«, rief Franz, dehnte das Wort lang und war auf der Rolltreppe, ließ sich nach unten tragen. Ein Blick auf die Uhr: acht Uhr fünfzehn. Bis zum Training würde er es gemütlich schaffen und er lief ein paar Stationen die Straßenbahnschienen entlang, bevor er die nächste Bahn nahm und wieder hinaus zu seinem Apartment fuhr. Dort schnappte er sich die Trainingstasche und machte sich erneut auf den Weg, diesmal dann aber direkt zum Mühlenbroich hinaus, wozu er die Straßenbahn in der Nähe des Zoos verlassen und in die Buslinie umsteigen musste. Er war guter Dinge und obwohl er immer noch den Konfektionsanzug trug, der ihm wie eine Dienstkleidung während der Arbeit vorgeschrieben war, kam er sich wie ein anderer Mensch vor. Jetzt würde bald alles anders werden. Er würde nur noch auf seinen Lizenzspielervertrag hinarbeiten, er würde sein Bestes geben und seine Fußballkollegen eben wie Konkurrenten betrachten, die er ausstechen musste, wenn er weiterkommen wollte.
Um zehn Uhr war er auf dem Sportplatz. Für die Borussia war dies nur ein Übungsgelände. Ab und zu spielte hier auch eine ihrer Jugendmannschaften. Ihre Spiele trug die Borussia natürlich im Lohwaldstadion aus, das immerhin fünfzigtausend Zuschauer fasste.
Franz ging zu den Umkleideräumen und fand sie noch verschlossen. Also musste er zunächst ins Klubheim, um beim Platzwart den Schlüssel zu holen. Er klingelte und durfte sein Begehren durch das Türmikrofon nach drinnen melden: »Franz Schäfer hier. Kann ich den Schlüssel für den Umkleideraum haben?«

»Wer ist da?«, krächzte es durch die Sprechanlage zurück.
»Franz Schäfer.«
»Kenn ich nicht«, sagte die Stimme, die Franz dennoch deutlich als die von Hubert Jumpertz ausmachte, dem Platzwart.
»Natürlich kennen Sie mich«, teilte er der Anlage mit. »Bin sonst nur nachmittags zum Training da.«
»Ach, du bist der Junge aus dem Kaufhaus. Ich drücke auf, komm her und hol ihn dir.«
Er war als Spieler überhaupt nicht bekannt, stellte Franz fest. Nicht mal der Platzwart kannte ihn, er war eine glatte Null. Das sollte sich ändern. Er drückte die Tür auf und ging zur Wohnung des Platzwarts, wo Jumpertz schon in seiner Wohnungstür stand und ihm den Schlüssel mit dem riesigen Holzbrett entgegenhielt.
»Hab dich noch nie gesehen«, sagte Jumpertz. »Ich meine, bewusst gesehen. Was spielste denn?«
»Linksaußen«, sagte Franz und nahm den Schlüssel.
»Biste schon im Kader?«
»Nein, noch nicht, ich will's versuchen.«
»Oje«, Jumpertz lachte, »dann musste aber Backe rausdrängen. Nicht so einfach. Bist noch 'n bisschen jung. Achtzehn?«
»Noch nicht ganz.«
»Na siehste, haste ja noch Zeit genug. Na, viel Glück denn auch. Den Schlüssel lässte nachher einfach in der Tür stecken. Ich mach ja noch die Räume sauber, dann zieh ich ihn ab.«
»Ist gut.« Franz verließ das Heim und ging zu den Umkleideräumen zurück, die an das Klubheim angebaut waren. Daneben gab es noch ein paar Schuppen für Arbeitsgeräte: Rasenmäher, Düngemittel, Markiermaschinen, Fräsen, Spaten und Schaufeln sowie das Quarzmehl, das für die Markierungen verwendet wurde und das der Klub kostenlos von einer Quarzfabrik erhielt.
Franz schloss die Tür zum Umkleideraum auf, betrat den Gang und kam zur Kabine, in der ein paar Bänke mit Drahtgitter und angeschraubten Kleiderhaken standen. An den Umkleideraum schloss sich der Waschraum mit Duschen und Fußwaschbecken

an. Es war kühl und klamm in dem Raum, es roch nach Nässe. Das ging von den Holzgitterrosten auf dem Betonfußboden aus, die allesamt eine Erneuerung verdient gehabt hätten.
Als sich Franz hier zum ersten Mal umzog, machte ihn Hennes auf die Fußpilzgefahr aufmerksam. Seither betrat er die Kabine nur mit bekleideten Füßen. Beim Duschen benutzte er Holzpantinen, die im Raum herumstanden. Wahrscheinlich nisteten in ihnen ebenfalls Pilzkulturen, aber die Pantinen gaben einem wenigstens das Gefühl, besser dagegen geschützt zu sein.
Franz zog Sporthose und Trikot an, fuhr in die Trainingsschuhe und streifte den Trainingsanzug über. Er war immer noch allein und beschloss, aus dem Sportgeräteraum einen Ball zu holen und sich auf dem Rasenplatz ein wenig mit sich selbst zu beschäftigen. Danach schloss er die Tür ab, ließ aber den Schlüssel stecken. Als er sich umwandte, sah er den Trainer kommen.
Seine O-Beine waren selbst auf die Entfernung unverkennbar: der Bauch, der etwas gebeugte Rücken, das schmale Gesicht mit dem streng gescheitelten Haar. Er trug schon Trainingszeug.
»Was willst du denn hier?«, fragte er ihn, als er heran war.
»Tag, Herr Wollschläger«, sagte Franz. »Trainieren natürlich.«
»Red nicht so ’n Stuss.« Wollschläger hatte nicht gern, wenn man seine Fragen nicht klar beantwortete. Er war auf eine etwas biedere und hausbackene Art ein Despot. Hinter seinem Rücken nannte man ihn »Iwan«, wobei man der Einfachheit halber den weiter zum Titel gehörenden »Schrecklichen« wegließ. »Sag, was los ist.«
»Ich hab meine Lehrstelle heute aufgegeben.« Franz hatte den Ball unter dem Arm und fühlte sich sicher.
»Und was hat das konkret zu bedeuten?«
»Dass ich jetzt auch vormittags trainieren werde.«
»Das hast du also ganz allein für dich bestimmt.« Wollschläger lächelte. Er hatte hässliche dicke Lippen, die auch beim Lächeln nichts von ihrer Hässlichkeit einbüßten. Wollschläger

war als Trainer gefürchtet und obwohl er manchmal auf die kameradschaftliche Tour ritt, Skatturniere innerhalb der Mannschaft veranstaltete und bei verstreut angesetzten Feten Lieder zur Gitarre zum Besten gab, traute sich niemand, ihm auf der kameradschaftlichen Tour entgegenzugehen. Er wurde mit »Herr Wollschläger« angeredet; älteren Spielern war erlaubt »Trainer« als Anrede zu gebrauchen, Hennes Lauterbach vielleicht oder Toni Umbach oder auch Backe Wangenmüller.

»Ich möchte mich eben ganz auf den Fußball konzentrieren«, sagte Franz.

»Das ist ein schöner Zug von dir. Weiß der Klub davon?«

»Nein, vielleicht aber hat das Kaufhaus Herrn Lippmann angerufen.«

»Und die haben dich einfach laufen lassen?«

»Ja, und ich geh auch nicht mehr zurück. Ich will ja schließlich Fußballprofi werden und kein Kaufmann.«

»Du musst beides werden, Kleiner.« Jetzt lachte Wollschläger laut. Er hatte eine rauhe, tiefe Stimme, die vom Dialekt gefärbt war. Sein Lachen klang nach fröhlichen, ausgelassenen Festen und Saufgelagen.

Franz war sicher, dass »Iwan« eine Menge von solchen Festen hielt. Man munkelte da so einiges. Bei Auswärtsspielen fuhr er manchmal gar nicht erst mit der Mannschaft nach Hause, sondern blieb bis Montag in der jeweiligen Stadt; denn der Montagvormittag war trainingsfrei. Und was Wollschläger dort trieb, konnte man nur ahnen, zum Wissen reichte es bisher bei den Spielern nicht. Niemand würde sich der Gefahr aussetzen, Wollschläger dabei zu beschatten. Wenn man dabei auffiele, war das gleichbedeutend mit Kündigung und Hinauswurf. Er hatte bei der Borussia freie Hand und nutzte das weidlich.

»Na schön«, sagte Wollschläger, »geh schon mal los und beschäftige dich, bis wir nachkommen. Ich rede mal mit Lippmann. Hat der Hennes dir übrigens Bescheid gesagt?«

Franz dachte kurz nach. Ob Wollschläger denn darüber informiert

war, was Lauterbach ihm gestern gesagt hatte? Er würde schon seine Zuträger haben, das war gewiss. »Ja«, sagte er deshalb.
»Hennes ist ein Arschloch«, sagte Wollschläger. Seine drastischen Ausdrücke waren nicht nur im Klub, sie waren in der ganzen Bundesliga berühmt und gefürchtet. Wollschläger nahm kein Blatt vor den Mund. Anscheinend konnte er sich das erlauben, weil er Erfolg hatte. »Sag ihm das, wenn er dir noch mal so 'nen Blödsinn auftischt. Du bringst alles, hast du mich verstanden, alles und noch mehr, Kleiner.«
Franz fühlte sich geadelt. Der große Trainer Max Wollschläger sprach mit ihm wie ein Verschwörer, ein Verschwörer gegen die übrige, die gesamte Mannschaft. »Du und ich, wir beide werden diesen lahmen Arschgeigen die Flötentöne beibringen. Und wenn du mitmachst, wenn du mir hilfst, Kleiner, die anderen auf Schwung zu bringen, dann . . . Ich will dir nicht zuviel versprechen, aber ich werd dich im Auge behalten. Ich lege auch ein Wort beim Lippmann für dich ein, damit die Sache mit dem Kaufhaus in Ordnung geht. Okay?«
Franz nickte eifrig, er war stolz und glücklich. Wollschläger würde sich auf ihn verlassen können, er war sein Mann. »Okay«, sagte er und es war ihm, als habe er damit einen Eid geleistet.
Der Trainer lächelte und Franz fand das Lächeln nun nicht mehr gar so hässlich. Eigentlich war Wollschläger ein ganz patenter Kerl mit rauher Schale, überhaupt kein »schrecklicher Iwan«. Jetzt gab er ihm einen Klaps auf die Schulter und sagte: »Dann hau ab.«
Franz rannte, tippte beim Laufen den Ball vor sich auf die Erde, so wie es früher die Torleute getan hatten, als es noch nicht die Fünf-Schritte-Regel gab. Er hätte jauchzen und schreien mögen, so glücklich fühlte er sich, und als er den Trainingsplatz erreichte, schoss er den Ball erst einmal aus der Hand hoch und weit in die Wolken.

6

Wollschläger blickte in die Runde der ihn umgebenden Männer: Gesichter von Bossen, dachte er, allesamt keine Sportler, allesamt Leute mit ganz anderen Ambitionen, irgendwie hereingeweht von Macht und Interessen, von Industrie und Politik. Lippmann zum Beispiel ein Textilfabrikant, Borsowski ein Geschäftsmann, den quasi seine Partie ins Präsidium delegiert hatte, dann der Angeber Collin, ein Rechtsanwalt. Natürlich waren sie alle am FC Borussia interessiert, auch sportlich. Aber auseinander halten konnten sie Geschäft, Sport und Politik nicht. Wollschläger wusste zu genau über sie Bescheid. Schließlich arbeitete er schon fünf Jahre mit diesen Leuten zusammen, grundsoliden konservativen Leuten, die das Risiko scheuten und es dafür ihm auf die Schultern luden.

Er hatte Erfolg damit, er konnte nicht klagen. Vielleicht hatte er eine glückliche Hand gehabt damals, als er die Mannschaft übernahm, eine überalterte Mannschaft, die das Präsidium aus Furcht vor dem Risiko nicht zu ändern wagte; bis es fast zu spät war und man ihn holte, der den FC Borussia dann dem Abstieg entriss und im nächsten Jahr auf einen Schlag fünf junge, manche sagten »unfertige« Leute einbaute und sieben ältere Spieler einfach in die Wüste schickte.

Wenn das nicht geklappt hätte, wäre er erledigt gewesen, nicht nur hier in der Stadt. Die Presse war ohnehin über ihn hergefallen, hatte ihn einen »Hasardeur« genannt; aber er hatte Schwein gehabt und einen vielbeachteten fünften Platz erreicht. Zwar spielten sie im UEFA-Cup keine große Rolle, erreichten lediglich die zweite Runde, aber damit war der Anfang zu einer erfolgreichen Arbeit getan.

Inzwischen begann die Mannschaft abermals zu altern. Da waren ein paar alte Herren dabei, die er liebend gerne losgeworden wäre: den Hennes Lauterbach zum Beispiel, Nationalspieler und Mannschaftskapitän; aber den auszubooten, würde einem Denkmalsturz gleichkommen. Doch die Zeit war reif dafür. In diesem Jahr hatte man ihm nur vier neue Leute bewilligt, zwei davon fertige Spieler, einen aufbaufähigen und dann hatte Hennes Lauterbach noch diesen Franz Schäfer angeschleppt, ein siebzehnjähriges Küken aus seiner Heimat, ein talentierter Junge ohne Zweifel, und in ein, zwei Jahren würde er wahrscheinlich in die Mannschaft passen. Eigentlich aber war der mehr etwas für die Amateurmannschaft, spielerisch und konditionell. Deshalb hatte er ja auch dafür gesorgt, dass ihn der Klub nur als Amateur aufnahm.

Jetzt aber hatte er mit ihm ganz andere Pläne. So ein junger Spund in der Mannschaft konnte ungemein belebend wirken, vor allem für die vielen älteren Herren, die alle ihren Lorbeer als Ballast mit sich rumschleppten, um sich ständig darauf niederzulassen. Schon der Anblick eines solchen jungen Spielers genügte manchmal, sie auf die Beine und auf Trab zu bringen. Und tatsächlich hatte Hennes schon die entscheidenden Sätze gesagt, wie er heute von dem Kleinen erfahren hatte. Genauso hatte er es sich vorgestellt.

Max Wollschläger lächelte. »Das war mein Plan und er fängt an aufzugehen, meine Herren. Also, nun lassen Sie mal Ihre Bedenken beiseite: Lehre, Eltern und so, der Kleine kommt mir gerade recht.« Er lehnte sich zurück und war mit sich zufrieden. Eben hatte er den Männern des engeren Präsidiums seine Vorstellungen erläutert und nun pafften sie an ihre Eine-Mark-Zigarren und griffen nach den Biergläsern.

Lippmann räusperte sich: »Wir wissen, dass Sie ein Fuchs sind, Max. Aber wir haben auch noch andere Verpflichtungen. Wir haben mit seinen Eltern eine schriftliche Vereinbarung getroffen. Wenn die davon erfahren, könnten sie uns in des Teufels Küche bringen.«

»Müssen sie denn davon erfahren?«, fragte Collin, der clevere Rechtsanwalt.

»Natürlich nicht.« Lippmann schaute ein wenig ratlos in die Runde. »Aber sie könnten davon erfahren.«

»Wie denn?«

»Durch den Jungen selbst beispielsweise. Irgendeine unachtsame Bemerkung und schon ist es passiert. Wie steht er eigentlich zu seinen Alten?«

»Soviel ich weiß«, sagte Wollschläger, »hat er keinen intensiven Kontakt. Er lebt hier still vor sich hin, keine Mädchen, nichts. Er ist bisher, glaub ich, noch nicht wieder zu Hause gewesen.«

»Dann muss das eben auch für die nächste Zeit so bleiben«, sagte Borsowski.

»Ich tippe erst gar nicht dran.« Wollschläger beugte sich vor. »Diese Kündigung hat er doch selbst ausgesprochen und er hat gesagt, seine Eltern seien informiert. War doch so, oder?« Die Herren nickten. »Haben wir denn überhaupt eine Veranlassung, da noch weiter drin rumzubohren?«

»Ich weiß nicht«, Lippmann machte ein sorgenvolles Gesicht. »Kamper war nicht ganz glücklich über diese Konstellation. Er meinte, diesen einen Monat bis zur Prüfung hätte er noch warten können. Wenigstens bis zur schriftlichen Prüfung.«

»Er braucht ihn ja vielleicht gar nicht zu entlassen«, sagte Collin. »Er lässt das Lehrverhältnis ruhen. Irgendwann, wenn die Saison zu Ende ist oder in der Halbzeitpause, geht er mal wieder hin und dann macht er im nächsten Jahr die Prüfung. Das lässt sich doch deichseln. Harry, was meinst du dazu?«

Lippmann wiegte seinen schweren Kopf. »Ich weiß nicht recht. Natürlich wäre es machbar.«

»Dann ist ja alles gut.« Wollschläger wollte von dem Thema weg. Er wusste, dass sich ohnehin nichts an seinem Entschluss ändern würde, diesen Schäfer von nun an auch vormittags trainieren zu lasen, ihn die anderen als ständige Bedrohung spüren zu lassen. Diesen trägen Haufen von Geldverdienern. Wenn er sie zum Spurt über den Rasen jagte, kamen sie in einer geschlossenen Front an, nicht einer wollte Erster sein. Bis auf Franz Schäfer. Der musste bei jeder Übung, die er ansetzte, Erster sein wollen. Es war optisch sehr reizvoll, wie dann plötzlich auch die alten Hasen anfingen zu spurten. Was hatte er da gelacht! Backe Wangenmüller hatte sogar versucht, dem Schäfer ein Bein wegzuziehen, er hatte es genau gesehen und auf seiner Trillerpfeife gepfiffen und sie waren stehen geblieben.

»Backe, zwei Runden um den Platz«, rief er und Wangenmüller setzte sein harmlosestes Gesicht auf.

»Ich?«, fragte er und deutete auch noch mit einem Zeigefinger auf seinen Bauch.

»Ist sonst noch jemand da, der Backe heißt? Also los, du Arschbacke!« Alles lachte, nur Backe natürlich nicht. Der trabte los und würde sich seine Gedanken gemacht haben. Das System funktionierte.

»Und dann?«, fragte jetzt Borsowski. »Was geschieht weiter mit diesem Schäfer?«

»Was soll denn mit ihm geschehen?« Collin trank aus seinem Bierglas.

»Er muss doch zumindest in den Kader.«

»Aber doch nicht dieses Küken. Der kann doch höchstens 'nen Birnbaum umdribbeln.«

»Ich will ihn demnächst natürlich auch auf die Bank setzen«, sagte Wollschläger, »sonst hat das alles keinen Sinn. Sie haben sonst schnell raus, dass ich bluffe. Nee, das muss für die ganz klar sein, dass da einer drauf wartet, irgendeine von diesen Pflaumen zu ersetzen. Und jeder von ihnen weiß, wer die reifste Pflaume ist. Da könnt ihr Gift drauf nehmen. Jeder weiß, wer eigentlich nicht reingehört. Und irgendwann nehm ich eine

von den Pflaumen raus und schick das Küken aufs Feld. Das wirkt.«
Er lachte laut und schaute Lippmann an, der nichts weiter zu dem Thema gesagt hatte.
»Was schauen Sie mich an, Max?«, fragte er jetzt. »Soll ich was dazu sagen? Was die Spieler angeht, haben Sie die entsprechenden Befugnisse. Und die andere Sache ist geklärt, denke ich. Ich rede mit Kamper, der wird Schäfers Papiere schon behalten. Wir müssen nur mit der Berufsschule noch 'nen Dreh finden, mit der Kammer natürlich auch. Das bleibt wieder mal an mir hängen, wie immer. Die Herren lächelten.
»Sonst noch was?«, fragte Lippmann. »Am Sonntag dieses Spiel bei Teutonia Reusrath, werden Sie da die neuen Leute schon einsetzen?«
»Dafür ist das Spiel doch gedacht, ein Trainingsspiel als Vorbereitung auf die Saison. Ich werde alle vier einsetzen. Mal sehn, zu welchem Zeitpunkt. Ich schicke erst mal die alte Mannschaft aufs Feld und wechsle nach und nach aus.« Wollschläger hielt dieses Thema keiner Diskussion wert. Das waren Dinge, über die er allein entschied, darüber war er dem Präsidium keine Rechenschaft schuldig.
»Sollten wir Monschau und Hanke nicht gleich von Beginn an bringen?« Collin sah ihn interessiert an und nahm anscheinend Wollschlägers Miene nicht zur Kenntnis, die er eigentlich hätte deuten müssen. Wenn Wollschläger die Mundwinkel sinken ließ, war nicht gut Kirschen essen mit ihm.
»Seit wann kümmert sich das Präsidium um die Mannschaftsaufstellung?«, knurrte er denn auch.
»Nur aus Interesse. Keine Kritik, um Gottes willen, bin doch nicht lebensmüde.« In der Runde wurde wieder anhaltend geschmunzelt. »Man will schließlich daraus lernen, nicht wahr, wenn man hier mit einem so berühmten Trainer zusammensitzt.«
»Na schön.« Wollschläger war danach nicht um einen Deut

besserer Laune. »Ich bin das dem Publikum aus Reusrath schuldig, mehr nicht. Die Leute bezahlen gutes Geld, um meine Mannschaft zu sehen; einmal die, die im vergangenen Jahr Sechster geworden ist, und dann auch die Neuen, die sie demnächst spielen sehen wollen. Das ist nämlich 'ne Show, Herr Rechtsanwalt. Das ist wie beim Aufgalopp. Die eigentliche Arbeit fängt 'ne Woche später an. Dann will ich die Mannschaft bringen, von der ich mir in der nächsten Saison was erhoffe.«

»Ich freu mich schon auf die Saison«, sagte Borsowski. »Wir haben optimal gearbeitet.«

»Wer hat optimal gearbeitet?«, fragte Max Wollschläger. Borsowski schien den Sinn der Frage nicht zu verstehen. »Haben wir denn nicht alle . . .«

»Aber Sie doch nun wirklich nicht, Herr Borsowski. Ich habe die neuen Leute geholt, sie getestet, ich. Es waren ein paar Hilfskräfte beteiligt. Aus. Denn das ist nun mal mein Geschäft.«

»Was reagieren Sie denn so empfindlich?« Borsowski schien beleidigt. »Ich fühle mich jedenfalls mit daran beteiligt, egal wie. Wir tun alle unsere Pflicht.«

»Ich trage hier das Risiko, meine Herren, und das weiß hier auch jeder. Ich werde für das Nichtgelingen verantwortlich gemacht und morgen rausgeschmissen, wenn's sein muss. Deshalb lasse ich mir auch den Erfolg nicht nehmen, wenn's einen geben sollte. Dann ist das auch ganz allein mein Erfolg. Das ist meine Mannschaft, das sind meine Spieler. Mir gehört der Misserfolg und auch der Erfolg. Das dürfte Ihnen klar sein.«

»Ist ja schon gut.« Mit Wollschläger eckte man leicht an, wenn man in seine Kompetenzen eindrang. Er war erregbar, sensibel, verbarg seine Verletzlichkeit hinter einem Vorhang, vor dem er nörgelte, schimpfte, fluchte, schrie, kritisierte, sodass jeder, der ihn auf dieser Bühne erlebte, meinen konnte, ihm sei

überhaupt nicht beizukommen, der sei gefeit gegen die Tücken seelischer Verletzungen, der habe ein viel zu dickes Fell.
Wollschläger trank seinen Whiskey aus und stand auf. »Es wird Zeit für mich.«
Die anderen nickten. Sie wussten, dass der Trainer noch andere Termine hatte: private und geschäftliche. Mal gab er Autogrammstunden, mal sprach er mit wichtigen Journalisten, mal saß er einem Werbefotografen für ein paar Fotos. Er machte Reklame für eine Baugesellschaft, auch für ein Mineralwasser. Er war rundum beschäftigt.
Zu seiner Familie hatte er kaum noch Kontakt. Irgendwann war die Familie zwischen all seinen Verpflichtungen, Reisen und Auftritten auf der Strecke geblieben. Seine Frau und seine beiden Töchter lebten irgendwo in der Nähe in einem Haus, das er für sie gebaut hatte und von dem er hoffte, dass sie sich dort wohl fühlten. Meist ohne ihn.
Er brauchte das, was er Freiheit nannte, »seine Freiheit«, er brauchte Raum und Luft und die Zeit. Das alles musste ihm gehören, er musste darüber verfügen können, niemand durfte ihm da reinreden. Seine Freiheit war die Unfreiheit der anderen, das sah er wohl. Aber das zu ändern, war nicht seine Sache. Das war die Sache der anderen. Aber er würde um seinen Freiraum kämpfen und wenn er dabei verlöre, würde er wortlos abtreten und eine neue Freiheit suchen. Um seine Unabhängigkeit hatte er lange ringen müssen. Jetzt, wo er sie besaß, wollte er sie behalten, solange es eben ging. Lange Jahre war er ein Radikaler gewesen, einer der um seine Rechte stritt, Rechte, die seinerzeit anderen gehörten. Jetzt war er ein Konservativer und verteidigte das Erreichte.
Er stammte aus der tristen Provinz der Rübenfelder, besuchte das Gymnasium und machte das Abitur, nebenher spielte er in einem Dorfverein Fußball. Damals hieß sein Posten noch »Mittelläufer«, er spielte Ausputzer und war als »Rauhe Sau« verschrien. An ihm kam keiner vorbei. Sein Vorbild war Paul

Janes gewesen, Härte imponierte ihm und als jemand kam und sagte, er könne auch bei der Tura in der nahen Stadt spielen, ging er hin und spielte. Die Tura spielte damals in der Oberliga eine führende Rolle.

Nebenher studierte er an der Sporthochschule, um Sportlehrer zu werden. Er war kein Profi, spielte nicht für Geld, außer den paar Mark Unterstützung, die ihm der Verein zahlte, damit er leben und eine kleine Wohnung unterhalten konnte. Er machte sein Diplom mit »Auszeichnung« und sein Professor sagte zu ihm: »Hören Sie, Max, Sie sind ein viel besserer Theoretiker, ein viel besserer Lehrer als Fußballspieler. Werden Sie Trainer. Wir müssen einen Anfang machen und ausgebildete Leute in die Vereine schicken, damit diese wilden Trainer endlich wegkommen. Sie kriegen von mir jede Empfehlung.«

Das hatte er sich dann zwei-, wenn nicht gar dreimal überlegt und sich schließlich die Empfehlung geben lassen. Inzwischen gab es die Bundesliga und sein Professor, der über die entsprechenden Verbindungen zum DFB verfügte, wusste auch gleich einen Verein für ihn, wo er nur noch hinzugehen und einen Vertrag unterschreiben brauchte, einen Verein, der gerade in die neue Bundesliga aufgestiegen war. Bei der Borussia hatte man es nicht bereut, den damals noch völlig Unbekannten genommen zu haben.

Er schlug mit den Knöcheln seiner rechten Hand auf den Tisch und sagte: »'n Abend allerseits«, schnappte sich seine Mütze vom Haken und ging hinaus. Er wusste, dass man nun über ihn reden würde, über seinen barschen Ton, seine schlechten Manieren. Er kannte seine Pappenheimer, diesen Collin und diesen Borsowski, alles blutige Amateure, von Lippmann gar nicht zu reden. Wenn er, Max Wollschläger, nicht die Fäden zusammenhielt, wäre der Klub längst abgetrudelt.

Lippmann war zudem auch noch naiv, was man von den beiden anderen nicht eben behaupten konnte. Lippmann war ein »lieber Kerl«. Wollschläger lächelte bei dem Gedanken. Solange

Lippmann Präsident war, würde er bleiben können. Der hielt ihm den Buckel frei, der hielt ihm das gesamte Präsidium vom Leib.
Als er den Raum verlassen hatte und ins Foyer des Klubheims hinabstieg, sah er, dass sich auf einer der dort aufgestellten Bänke eine Gestalt bewegte. Dann wusste er plötzlich, dass es Hennes Lauterbach war. Der war aufgestanden und bewegte sich nun auf ihn zu.
»Ich habe auf Sie gewartet«, sagte er.
»Das sehe ich, sonst würdest du mich nicht hier anquatschen.« Wollschläger war auf der Hut. Ohne besonderen Grund würde Lauterbach nicht zwei Stunden nach dem Training gewartet haben. »Was gibt's?«
»Muss mit Ihnen wegen Schäfer reden.«
»Hör mal«, Wollschläger hatte absolut keine Lust, sich mit Lauterbach hier und um diese Zeit über einen Spieler zu unterhalten, »ich habe jetzt überhaupt keine Zeit.« Er schaute auf die Uhr an seinem Handgelenk und stellte fest, dass es bereits zehn Uhr war und höchste Zeit wurde, wenn er den Werbefritzen in der »Datscha« noch treffen wollte. Er hatte sich dort für zehn mit ihm auf eine Zwiebelsuppe verabredet.
»Die Jungens sind ein bisschen in Unruhe wegen Schäfer. Soll er nun mit in den Kader oder nicht?«
»Ich werd ihn am Sonntag in Reusrath bringen«, sagte er und lächelte. »Ist damit deine Frage beantwortet?«
»Er ist also offiziell im Kader?«, fragte Lauterbach. Seine Stimme klang eindringlich.
»Zieht eure Schlüsse aus der Tatsache, dass er am Sonntag in der zweiten Halbzeit kommt. Das wär's dann wohl. Ich hab wirklich keine Zeit.«
Er ging an Lauterbach vorbei, verließ das Klubhaus und bestieg seinen BMW. Er grinste. Jetzt stand er da, der große Hennes Lauterbach, das »Ohr«, dessen größte Zeit auch schon vorbei war, stand da mit seiner Geschäftemacher- und Intri-

ganten-Mentalität, mit der er seine Truppe zu dirigieren versuchte, diesen harten Kern, diese Mannschafts-Mafia, die keinen reinließ, den sie nicht haben wollte.
Schäfer wollten sie nicht haben, weil er zu jung war und zu besessen. Dem wollten sie die Hörner gar nicht erst wachsen lassen, damit er sie sich abstieße. Obwohl Schäfer Lauterbachs Mann, jedenfalls von ihm herbeigeschafft worden war. Aber daran hatte das raffinierte »Ohr« nur verdient. Jetzt war er ihm gleichgültig, jetzt versuchte er, seine Grenzen abzustecken und zu verteidigen.
Und hinter Lauterbach standen die drei oder vier Alten, wie Backe Wangenmüller oder Bumsi Hantsch oder Toni Umbach, Leute über dreißig, das Korsett der Mannschaft. Aber Leute wie der junge Schäfer waren das Fleisch und Wollschläger wusste, dass diese talentierten Grünschnäbel das Weiterleben der Mannschaft garantierten. Trainer, die anders darüber dachten, zogen immer wieder gegenteilige Lehren, erlitten Schiffbruch, verpassten vielleicht auch den rechten Zeitpunkt für den Umbau. Er hatte diesen Zeitpunkt bislang noch nicht verpasst. Das war möglicherweise das Geheimnis seines Erfolgs.
Er startete den Wagen und fuhr davon. Er freute sich auf eine heiße, scharf gewürzte Zwiebelsuppe.

7

Nachdem alle anderen die Umkleidekabine verlassen hatten, hielt Backe Wangenmüller Franz am Arm fest. »Moment mal«, sagte er, »ich hab da was mit dir zu bereden.« Franz sah in sein belustigt wirkendes Gesicht und wusste nicht, was das zu bedeuten hatte. »Was haste denn?«, fragte er ihn.

»Nur 'ne Frage, Kleiner: du willst doch bestimmt keinen Ärger machen?«

»Wieso denn?« Franz machte sich von dem zupackenden Griff frei.

»Willste Ärger oder nicht?«

»Blöde Frage, natürlich nicht.«

»Na siehste, wusste ich doch. Bist ein kluges Kerlchen. Dann dräng dich auch nicht danach, meinen Platz in der Mannschaft zu kriegen.«

»Kapier ich nicht.« Franz wollte weiter. Die anderen hatten längst den Umkleidetrakt verlassen und befanden sich schon auf dem Sportplatz des Teutonia Reusrath, wo die Borussia heute ein Vorbereitungsspiel austragen wollte. Da hielt ihn Backe ein weiteres Mal fest.

»Der Iwan will dich zur Pause einwechseln, gut. Soll er. Aber du wirst das ablehnen, wirst sagen, du fühlst dich noch nicht reif dafür, verstehste.«

»Was soll denn der Quatsch? Gar nichts werd ich ablehnen, du Armleuchter.« Franz wurde allmählich wütend. Der hatte wohl nicht alle Tassen im Schrank.

»Das ist kein Quatsch, Kleiner.« Backe ließ ihn wieder los und ging neben ihm her den Gang entlang. »Dafür kriegste mich zum Freund. Das kann dir später mal sehr nützlich sein.«

»Wollschläger hat mich heute auf die Bank gesetzt«, sagte Franz, »und wenn er mich bringen will, geh ich, das ist klar. Das ist meine Chance, die schmeiß ich nicht weg.« Backe grinste. »Ich sag's dir im Guten, du wirst Ärger kriegen.«
»Und wenn schon.« Franz zuckte die Schultern.
Sie waren draußen. Backe trug schon das grün weiß gestreifte Trikot und die weißen Hosen, war in vollem Dress, während Franz noch den Trainingsanzug drüber gezogen hatte, um sich warm zu halten. Er sah Backe nach, wie er mit gestelzten Schritten steif und hüftlahm auf den Rasen lief und die Arme schwang, wie sie es im Training zur Auflockerung machten.
Franz wandte sich nach links, wo die anderen Ersatzspieler und auch Wollschläger auf einer Bank Platz genommen hatten. Man rückte zusammen, damit auch er sich setzen konnte, und dann saß er zwischen Helbig und Monschau und wusste nicht, was er über das denken sollte, was er erlebt hatte.
Das durfte es doch in einer Mannschaft gar nicht geben: da wurde ihm doch tatsächlich gedroht, da wurde ihm empfohlen, seine Chance einfach in den Wind zu schlagen, nur um einer sehr seltsamen Freundschaft willen, die ihm Backe Wangenmüller angeboten hatte und von der er sich lebhaft vorstellen konnte, wie sie aussehen würde.
Was sollte ihm eine Freundschaft nützen, die ihm das Fußballspielen verbot? Wenn er sich darauf erst mal einließe, wäre er geliefert, nicht nur bei der Mannschaft, sondern erst recht bei Wollschläger und das könnte ihm weitaus teurer zu stehen kommen. Wie Backe sich das eigentlich vorstellte Wollschlägers Befehl zu ignorieren, ihm zu sagen: Ich fühl mich heut nicht gut oder wie? Wollschläger würde ihn in den Hintern treten und ihn nie mehr auf die Bank setzen.
In der Halbzeitpause, als die anderen zurück in die Kabine gingen, durfte Franz mit den übrigen Ersatzspielern draußen bleiben und sich mit dem Ball etwas warm spielen. Er war froh, nicht wieder mit Backe zusammentreffen zu müssen. Woll-

schläger hatte ihn zwar während der ersten Spielhälfte keines Blickes gewürdigt, doch hatte das nicht viel zu besagen. Der Trainer beobachtete das Spiel, das schon zur Halbzeit 4:0 für die Borussia stand.
Franz fühlte sich in guter Form und freute sich auf seinen ersten Einsatz im grün weißen Dress, wenn es hier in Reusrath auch um nichts ging. Reusrath war eine kleine Gemeinde in der Nähe der Stadt und hatte einen ehrgeizigen Fußballverein, der in der Bezirksklasse eine gute Rolle spielte. Aber das war nicht ausschlaggebend dafür, dass die große Borussia hier aufspielte. Das hier war nichts weiter als eine Werbereise; denn auch aus den umliegenden Ortschaften wie Reusrath kamen die Zuschauer ihrer Bundesligaspiele. Hier war ihr Einzugsgebiet, das sie mit einer Art Goodwill-Tour zu bereisen hatten, um die Zuschauer in ihr Stadion zu locken. Im übrigen war es ein Training mit Spiel- und Kampfpraxis, das zudem noch eine Beteiligung an den Einnahmen vorsah. Das Spiel selbst war unbedeutend, das Ergebnis stand vorher schon fest, nur die Höhe des Borussiasieges galt es noch auszuschießen.
Franz sah Wollschläger an der Treppe zu den Umkleideräumen auftauchen und sie heranwinken. Sie liefen, den Ball vor sich her stoßend und sich zuspielend, hinüber, blieben erwartungsvoll vor der Treppe stehen.
»Monschau und Helbig, ihr lauft jetzt mit auf«, sagte Wollschläger. »Hanke, du kommst dann vielleicht in einer Viertelstunde dran. Ihr wisst, was ihr zu tun habt. Das wär's.«
Franz stand wie versteinert. Er spürte, wie sich ihm die Kehle zuschnürte. »Und ich?«, fragte er. »Sollte ich nicht auch in der zweiten Halbzeit . . .«
»Du?«, fragte Wollschläger und sah ihn durchdringend an. »Du kannst deine Zivilklamotten gleich wieder anziehn. Du kommst heute nicht mehr dran.«
»Aber was ist denn passiert?« Er verstand das alles nicht. Er fühlte sich fit, er brannte darauf zu spielen.

»Frag dich das lieber selbst, du weißt das besser, kann ich mir denken. Und nun los, ihr anderen, was steht ihr noch rum. Macht euch fertig.«
Wollschläger drehte sich um und wollte wieder zurück in die Umkleideräume. Franz setzte ihm nach. »Aber ich weiß wirklich nicht, was das bedeuten soll. Wenn aber Backe dahintersteckt, dann will ich Ihnen was sagen, Herr Wollschläger: Der wollte mir eben vor dem Spiel ans Fell, nur weil Sie mich auf die Bank gesetzt haben.«
Wollschläger blieb mitten im Gang stehen. Franz konnte an ihm vorbei schon die neugierigen Gesichter einiger Kollegen sehen, die aus der Kabinentür schauten.
»Das ist ja hochinteressant«, sagte Wollschläger. »Sieh mal einer an.« Er lächelte und das bedeutete in diesem Fall nichts Gutes. »Komm mal mit.«
Er schritt voraus, Franz blieb ihm auf den Fersen. Wollschläger schloss hinter sich die Kabinentür. Eine eigenartige, gespannte Ruhe war dort eingekehrt, eben war der Raum noch von Geräuschen und Gesprächen gefüllt gewesen. Jetzt standen die Spieler herum und sahen den Trainer an, der sich mitten in den Raum gestellt hatte und die Arme in die Seiten stemmte. Er sah sie der Reihe nach an, bis sein Blick bei Backe Wangenmüller hängenblieb. Er lächelte ihn an, aber Backe lächelte nicht zurück. »Zieh dich an, Backe«, sagte Wollschläger leise.
»Aber warum denn?«
»Keine Frage. Zieh dich an und fahr nach Hause. Wir reden übermorgen beim Training darüber. Hennes?« Er drehte sich ruckartig herum und fixierte Lauterbach, der an seiner Mannschaftsführer-Binde nestelte und jetzt wie bestürzt aufsah: »Ja?«
»Du sorgst dafür, dass der Kleine auf dem linken Flügel seine Bälle kriegt. Stelle ich während des Spiels fest, dass ihr den verhungern lasst, lernt ihr mich kennen. Ihr alle. Verstanden? Und damit das ganz klar ist: *Ich* setzte die Leute ein, *ich* rede

mit ihnen und sie reden mit mir, wenn ich sie danach frage. Ich denke, du wirst nicht dabei bleiben wollen, was du mir eben gesagt hast.«

»Das hatte ich von Backe«, sagte Hennes. »Und ich hatte keinen Grund, daran zu zweifeln. Ich bin nämlich auch der Meinung, dass der Kleine . . .«

»Schluss!« brüllte Wollschläger. »Nach deiner Meinung habe ich überhaupt nicht gefragt. Zieh die Trainingssachen aus, Kleiner, du bist dran. Mach ein gutes Spiel und schieß 'ne Menge Tore.«

Franz verscheuchte die Gedanken, die ihm kein gutes Gefühl vermittelten, zog den Trainingsanzug aus und stand endlich in dem Dress da, in den er sich seit einem Monat hineingeträumt hatte. Er trug ihn heute tatsächlich zum ersten Mal: das grün-weiß gestreifte Trikot und die weiße Hose, dazu die hellgrünen Stutzen. Und er würde ihn nicht nur mit sich herumtragen, sondern er würde sich gleich darin dem Publikum zeigen dürfen.

Zwar war das nur ein Publikum dritter Klasse, wie er es verstand, irgendein Dorf und dazu ein paar Leute aus der Nachbarschaft, insgesamt vielleicht dreitausend Zuschauer, aber das war ja auch erst der Anfang.

Backe konnte ihm gestohlen bleiben. Ihm war klar, dass er von nun an einen noch schwereren Stand in der Mannschaft haben würde, aber er wusste ja Wollschlägers schützende Hand über sich. Der mochte es wohl richten und er dachte an ihn wie an irgendeinen »lieben Gott«, der ihn behütete und ihn vor allem Unheil bewahrte. Er war ihm dankbar.

Dann stand er draußen im Sonnenlicht des Spätnachmittags, äugte hinauf, schätzte die Temperatur – bestimmt 35 Grad in der Sonne – und stakste hinaus; rieb sich die Hände während des Laufens und gesellte sich zum Kreis der Mannschaftskameraden, die sich einen Ball zuschoben und darauf warteten, dass der Schiedsrichter die zweiten 45 Minuten anpfiff.

Hennes gab ihm den Ball und er nahm ihn vorsichtig an, lupfte ihn mit der Fußspitze und setzte seinen Spann darunter, um ihn zum Nebenmann zu befördern, tänzelte nervös und spürte das leichte Herzklopfen in der Magengegend und irgendwo im Hals, von dem er wusste, dass es sich erst während des Spiels legen würde. Hennes und die anderen sagten kein Wort, aber er wusste, dass sie alle an den Vorfall von eben dachten.
Endlich war es so weit. Der Anpfiff ertönte; doch Franz lief nicht los wie früher in seinem Verein, sondern versuchte, Anspielsituation für den Ball auf dem Weg zum gegnerischen Strafraum zu sein. Er hatte ein paar taktische Feinheiten gelernt und nun begann seine Bewährungszeit. Er musste Wollschläger zeigen, dass er seine Lehren kapiert hatte, und so blieb er zunächst in der Nähe des Balles, immer bereit, sofort zu starten und zu rennen, wenn sich ihm eine Gelegenheit dazu böte.
Aber das Spiel tändelte auf der rechten Seite herum. Man machte ein Trainingsspielchen, man führte 4:0. Das hier war nichts anderes als das berühmt-berüchtigte Trainingsspiel »Eins gegen fünf«, bei dem man selbst der eine war und durch den Kreis der fünf gehetzt wurde, ohne je den Ball zu erreichen, und nicht eher daraus entlassen wurde, bis entweder der Zufall half, das Mitleid der Kameraden oder Wollschlägers Befehl.
Da das Spiel auf der anderen Seit stattfand und sich anscheinend niemand der Gegner um ihn kümmerte, konnte Franz sich ungehindert ins Mittelfeld mogeln, aufmerksam die Spielszenen verfolgend sich einen Freiraum schaffen. Dann hatte Helbig ihn endlich gesehen und es kam ein langer Pass auf die andere Seite, wo Franz frei stand und den Ball annahm, ohne dass er ihm zehn Zentimeter vom Fuß entwich. Er hatte viel Platz. Er lief und als der erste Gegner angehetzt kam, hochrot im Gesicht vor Anstrengung oder auch vor Verzweiflung, weil man ihn herumjagte und ihm zumutete, an vielen Stellen gleichzeitig zu sein, um die Torflut zu verhindern, fiel es Franz nicht schwer, ihn mit einer kurzen Körpertäuschung ins Leere

laufen zu lassen und seinen Weg fortzusetzen. Er befand sich zu diesem Zeitpunkt bereits in Strafraumnähe und er schob den Ball leicht nach links, wie um ihn sich zurechtzulegen, und drosch seinen Stiefel gegen das Leder, wie er es gewohnt war. Er verharrte und schaute dem Flug des Balles nach und er empfand eine unbändige Freude, als er sah, wie der Ball eine gute Höhe und eine beträchtliche Schnelligkeit erreichte, bis das Tornetz die Flugbahn abrupt unterbrach und den Weiterflug des Balles verhinderte. Der Ball hing für Sekundenbruchteile im Netz und tropfte dann hinunter, während der Torwart auf dem Boden lag und ihm dabei zuschaute.
Franz hob beide Arme und lachte. Es war so leicht zu glänzen, jetzt und hier, damit Wollschläger sah, was in ihm steckte. Und er sah hinüber zur Trainerbank, um eine anerkennende Miene des Trainers zu erhaschen, aber Wollschläger war gar nicht mehr da. Nur Hennes hob den Daumen zum Zeichen der Gratulation. Bei einem solchen Dorfverein verkniff man sich die sonst üblichen Gratulationsfeiern aus Anlass eines Tores.
Franz schoss im Verlauf des Spiels noch zwei weitere Tore und fast immer auf die gleiche Weise, einmal sogar von der rechten Seite und mit seinem etwas schwächeren rechten Fuß und als sie hernach in der Kabine zusammenkamen, klopfte ihm Hennes sogar auf die Schulter. »Für den Anfang ganz gut«, sagte er. Auf die Kontroverse mit Backe Wangenmüller während der Halbzeitpause kam niemand mehr zu sprechen.
Wollschläger war schon zurückgefahren, nur sein Trainer-Assistent Hans Reuther war geblieben, und der kam jetzt in die Kabine und sagte: »Die Trikots bitte direkt in den Koffer, den holt der Ferdi gleich. Sonst bis morgen wie üblich.« Damit war auch er weg.
Die Kollegen bemühten sich, so schnell wie möglich unter die Dusche zu kommen und sich zu waschen. Es war nicht so wie früher beim Höher SV, dass nach einem gewonnenen Spiel ein

Lied unter der Brause angestimmt wurde, man sich die Seife klaute und damit Fußball spielte, man den einen oder anderen durch den Kakao zog wegen gewisser körperlicher Besonderheiten; das war stets ein Rufen, Geschrei und Gelächter gewesen und es war, als nehme das Spiel im Waschraum seinen Fortgang. Hier dagegen verlief alles geschäftsmäßig und routinehaft ab. Sie verstanden sich deshalb auch mehr als Kollegen denn als Kameraden. Man wusch sich, stieg in seine Klamotten, warf sein Zeug in die Tasche und kämmte sich ausgiebig, manch einer hatte seinen Fön bei sich, um seinem Haar wieder eine bestimmte Fasson zu geben.
Dann ging schon der Erste, rief ein »Bis morgen« ungezielt in den Raum und war verschwunden. Andere folgten. Es war nicht anders als sonst nach einem Training. Die Teutonia aus Reusrath hatte zwar zu einem Essen in der Vereinskneipe eingeladen, aber manch einer mochte daran nicht mehr teilnehmen. Es blieben nur ein paar, Hennes Lauterbach natürlich, ein paar Klubgewaltige, damit der Anstand gewahrt blieb, und Franz, der sowieso darauf angewiesen war, von einem Mannschaftskameraden mit in die Stadt genommen zu werden. Er saß neben Monschau und einem Reusrather Spieler, von dem er erfuhr, dass er der Torwart war.
Es gab Schnitzel mit Pommes frites und Salat, das übliche gehobene Dorfschänken-Essen, und Franz erlaubte sich sogar ein Bier. Man hielt sie an zu trinken, um den Gewichtsverlust auszugleichen, den sie während des Spiels erlitten hatten, und gegen zwei, drei Bier war gar nichts einzuwenden.
»Du warst Klasse«, sagte sein Nachbar, der Torwart. »Ich kenn dich gar nicht. Seit wann biste denn bei dieser Truppe?«
»Einen Monat«, antwortete Franz, erfreut über das Lob. »Komme aus einem kleinen Verein wie eurem, vielleicht sogar noch kleiner.«
»Und da hat dich einer entdeckt?«
»Wir haben mit um die Deutsche Jugendmeisterschaft gespielt

und da stellen sich die Späher von allein ein. Na ja, und denen bin ich dann aufgefallen. Hab ein prima Tor gemacht, aber wir sind dann leider ausgeschieden.«

»Mensch ja, man muss raus und an die Oberfläche«, sagte sein Nachbar. »Aber wie schafft man so was?«

»Da musste schon was bringen«, sagte Franz und lachte. »Stell dir vor, du hättest heute nicht die acht Eier reingelassen, sondern sie alle gehalten und wir hätten null-null gespielt. Was denkste, was dann losgewesen wäre? Da wärste der Held des Tages gewesen.«

»Ich hab sie aber reingelassen. Die waren ja gar nich zu halten.« Der Junge neben ihm seufzte auf. »Du hast 'nen Mordsschuss im linken Fuß. Ich glaub, die suchen so was, so 'nen guten Linksaußen.«

»Kann schon sein.« Franz war stolz auf sich und hoffte, der andere werde es nicht zu sehr merken. Aber er mochte diesen Stolz auch nicht unterdrücken.

»Aber als Torwart stehste beschissen da. Übrigens, ich heiße Toni.« Toni trank von seinem Bier.

»Franz heiße ich, Franz Schäfer.« Sie prosteten sich zu.

»Ich glaub, den Namen werd ich mir mal merken.« Jetzt lachte auch er. »Einer, der mir drei unhaltbare Dinger eingehauen hat und gerade aus der Jugend kommt, das is schon wer. Ich bin nämlich sonst ganz gut in der Kiste.«

»Das hab ich gesehn.« Franz wollte nun auch nicht mit Lob zurückhalten. »Manche Bälle haste ganz großartig gemeistert. Aber eben nicht genug. Und ganz so weit her ist es mit mir auch nicht.«

»Du warst für mich der Beste, ehrlich«, sagte Toni und Franz merkte ihm an, dass er es tatsächlich so meinte. »Da kamen die andern doch gar nich mit, all die Lauterbachs und Wangenmüllers und so weiter. Die machten doch nur Sommerfußball. Du hast richtig gekämpft.«

»Weil ich's muss. Das ist für unsereins gar nicht so einfach.

Da kommste nicht so ohne weiteres rein in den Kader. Und nicht nur Können brauchste.«
»Viel Konkurrenz, was?« Toni lachte und zwinkerte mit den Augen. »Das is wohl auch nich alles so, wie's von vorn aussieht.«
»Genau, da brauchste Ellenbogen, sonst machen die dich fertig. Eben noch hat's einer versucht bei mir, aber der ist abgeblitzt. Jetzt glaub ich wirklich, dass ich's schaffe.«
»Bestimmt. Ich werd deine Karriere im Auge behalten.«
»Und ich pass mal ein bisschen auf dich auf. Bezirksklasse spielt ihr?«
Toni nickte. »Vielleicht machen wir in diesem Jahr den Meister, dann kommen wir in die Landesliga. Da träumen ja alle von: so 'n Durchmarsch durch alle Klassen und plötzlich is man oben! Prost!« Sie tranken.
In diesem Augenblick stieß ihn Monschau von der anderen Seite an. »Reiß dich was zusammen, Kollege.«
Franz bekam einen roten Kopf. Tatsächlich, Monschau hatte recht, er war drauf und dran, einen Schwips zu kriegen und Dinge auszuplaudern, die er besser für sich behielt.
Zwei Bier hatte er nur getrunken, aber er konnte einfach keinen Alkohol vertragen.
»Is was?«, fragte Toni.
»Ja, ich muss gleich weg, glaub ich.« Er trank sein Glas leer.
»Mensch, und ich dacht, wir hätten zusammen noch anständig einen gezaubert.«
»Siehste«, sagte Franz und erhob sich, »das ist der Unterschied. Das gibt's dann nicht mehr, wenn du rauf willst an die Oberfläche. Die Gemütlichkeit ist vorbei und Spaß macht's eigentlich nur noch auf dem Platz und am Fuffzehnten, wenn du das Geld kriegst. Das andere ist Schinderei und auf vieles musste verzichten.«
»Kann ich mir gar nich vorstellen.«
»Ist aber so. Tschüs dann, und viel Glück beim Durchmarsch.«

Franz winkte ihm noch einmal zu und beugte sich zu Monschau hinab.
»Wann fährste?«, fragte er.
»Gleich, Viertelstunde.«
»Nimmst mich mit?« Monschau nickte. »Ich geh dann schon mal raus.« Franz nahm seine Tasche und verließ das Klubzimmer, in dem sie gesessen hatten. Er musste durch die Gaststube, wo man sich nach ihm umdrehte, als er tascheschlenkernd den Raum durchschritt, während er die Blicke auf sich gerichtet fühlte. Ihn beschlich ein sonderbares Gefühl. Er hatte zwar noch keinen Vertrag, aber etwas Ähnliches, er gehörte jedenfalls mit dazu. Und niemand würde ihn dort mehr verdrängen können. Er wollte dieses Gefühl behalten und verteidigen.
Draußen ging er zu Monschaus Wagen und warf seine Tasche auf die schmalen Hintersitze des Triumph, lehnte sich ans Blech und starrte auf die Lindenbäume, die den Gasthof umstanden und angenehmen Schatten spendeten. Es ging ein lauer Wind und Franz fühlte sich prächtig.
»Is das deiner?«, fragte eine Mädchenstimme und Franz wandte sich erschreckt um, denn er hatte keine Schritte gehört. Das Mädchen sah gut aus, mehr fiel ihm im ersten Augenblick nicht auf: langes dunkelblondes Haar, ein rundes weiches Gesicht mit einem kräftigen Mund. Sie trug Jeans und hatte ihre Hände in den hinteren Taschen der Hose. Eine buntkarierte Bluse, ein sportlich-flotter Typ.
Franz hätte gern genickt und die Frage bejaht, aber er wusste nur zu gut, dass Robert Monschau in ein paar Minuten auftauchen und den Traum zerstören würde, wenn er sich ihm auslieferte. »Noch nicht«, sagte er deshalb vorsichtig.
»Was heißt: noch nich? Dasste bald selbs' so 'nen Schlitten hast oder was?« Sie hatte einen Kaugummi im Mund und mampfte. Anscheinend hatte er eine Weile auf ihren sich bewegenden Mund gestarrt, denn sie sagte: »Willste auch eins?«

Jetzt nickte er. Die Kleine gefiel ihm. Sie gab ihm einen Streifen Kaugummi und Franz hatte damit zu tun, das Papier zu entfernen, bevor er den kühlen, nach Pfefferminz duftenden Streifen in den Mund schieben konnte. Er war nicht sehr versessen auf Kaugummi, weil sie während des Trainings oder eines Spiels ständig auf einem dieser Knäuel herumbeißen mussten, um die Speichelbildung anzuregen und die Mundhöhle feucht zu halten. Aber nun kaute auch er.
»Ich hoffe, dass ich auch bald so was Ähnliches habe«, sagte Franz. »Stehste auf so was?«
»Klar«, sagte sie. »Das tun sie doch alle, oder?«
»Weiß nicht. Hab noch keine getroffen.«
»Haste überhaupt schon mal eine getroffen?« Sie grinste. »Und ob«, lachte Franz. Jetzt lachten sie beide.
»Was Festes?«, fragte sie.
»Inzwischen aufgelöst. Lebe getrennt.« Franz merkte, dass er dabei war, sich in etwas zu verrennen, in eine Situation, von der er nicht genau wusste, ob sie für ihn die richtige sein würde. Ob sich ein halber Profi, ein Spieler der Borussia, so etwas würde erlauben können? Sich die Kleine nehmen und verschwinden? Er könnte ja auch mit dem Bus nach Hause fahren.
»Aber du kommst bestimmt nicht mehr hier vorbei. Wer verirrt sich schon in so 'n Kaff wie Reusrath. Das kann nur mir passieren.« Sie lachte.
»Komm selbst aus 'nem ähnlichen Kaff. Schmalkotten heißt es und liegt 'n paar hundert Kilometer weg. Jetzt hab ich aber ein Apartment in der Stadt.«
»Ganz für dich allein?«
»Ganz für mich allein. Kannst mich ja mal besuchen.« Jetzt war es gesagt und nicht mehr zurückzuholen. Franz hatte auch gar keine Lust dazu, er war in viel zu guter Stimmung.
»Mensch«, sagte das Mädchen und Franz sah, dass sie dabei war, ihm um den Hals zu fallen. »Find ich prima von dir. Ich heiß übrigens Renate. Und du?«

»Franz. Franz Schäfer. Ganz einfach.«
»Und deine Adresse? Vielleicht komm ich tatsächlich mal vorbei.«
Er nannte sie ihr. »Kannste machen. Meistens bin ich abends zu Hause, wenn nichts dazwischenkommt.«
Franz sah Robert aus der Tür kommen. »Du, ich muss jetzt leider weg, da kommt mein Kompagnon, der mich mitnimmt.«
»Gehört ihm der Wagen?« Franz nickte.
»Aber du hast ja auch bald so einen.«
»Bestimmt.« Franz kletterte auf den Beifahrersitz.
Robert trat heran und grinste der Kleinen zu. »Na, feste Absprachen? Den willste doch nicht etwa bewerben?«
»Nee«, sagte Renate und hatte wieder die Hände in den Hosentaschen, »aber besuchen werd ich ihn.«
»Schlag's dir aus dem Kopf«, sagte Robert und hörte schlagartig auf zu lachen. »Der Kleine gehört nämlich dem Verein. Kapiert?«
»Du kannst mich mal.« Renate wandte sich ab, blieb dann aber noch einmal stehen und rief zurück: »Bis die Woche, Franz. Kannst dich drauf verlassen.« Sie winkte und Franz winkte zurück.
Monschau stieg zu ihm und steckte den Zündschlüssel ins Schloß. »Schreib's ab«, sagte er.
»Ist doch bloß Spaß.« Franz lachte immer noch; er hatte sich gut amüsiert und was Renate betraf, würde er schon wissen, wie weit er gehen könnte. »Bin doch nicht dämlich.«
Monschau unterließ es, den Motor zu starten, sondern drehte sich ihm noch einmal zu. »Hör mal, Franz, du hast heute 'ne Menge Schwein gehabt. Drei Tore geschossen, ein gutes Spiel gemacht und den Backe rausgedrängt, nicht zu vergessen. Wenn ich dir aber 'nen guten Rat geben darf, dann vergiss den heutigen Tag nicht. Ein Erfolg genügt nämlich nicht in unserem Geschäft, du musst ständig Erfolg haben. Verstehste?«
»Ist ja schon gut.« Franz winkte ab. Der Monschau sollte ihn

nicht auch noch wie ein kleines Kind behandeln. Fehlte nur noch, dass er ihn »Kleiner« nannte wie Lauterbach.
»Nichts ist gut. Eben am Tisch hat du auch schon so blöde gequatscht. Von wegen Ellenbogen und so und dass da der eine dem anderen nicht das Salz in der Suppe gönnt.«
»Hab ich gar nicht gesagt.«
»Dann so was Ähnliches. Jedenfalls haste so was gemeint. Merk dir, dass wir nach außen hin die beste Truppe der Bundesliga sind, da gibt's kein Vertun, Franz. Bei uns ist alles okay, vom Trainer angefangen bis zur Vereinsführung. Falls dich mal einer fragen sollte und irgendwann wird dich mal einer fragen, Reporter und andere Leute. Denk dran.«
»Werd schon was denken. Mach doch nicht so 'n Bohei, Robert.«
»Und dann diese Bienen, die da rumschwirren. Lass die Finger davon. Du bist nicht mehr in eurem Dorf.«
»Weiß ich doch. Fahr endlich los.«
»Ich hab's dir gesagt.« Monschau drehte den Schlüssel im Zündschloss und der Motor heulte auf.
Dass alle an ihm herumerziehen wollten! Kaum war man seine Eltern los, schon kamen eine Menge anderer Leute, die es genauso machten.
»Ich mein's gut mit dir«, sagte Robert, während sie durch eine gleichförmige sonnige Landschaft brausten. Lediglich hin und wieder ein paar Bäume an den Straßenrändern unterbrachen die sich aneinanderreihenden Wiesen und Felder. Zu Hause bei ihm in Schmalkotten war das anders. Da gab's wenigstens Berge, Bäche und Wälder, da hatte er sich wohl gefühlt, da gab es Freunde, da hatte es sogar ein Mädchen namens Karin gegeben. Eine verdammt schöne Zeit, dachte er.
Und dann die Sportkameraden beim Höher SV: Kalla, Nobby, Manni, der Erich. Wie sie jetzt sein mochten? Kalla sollte ja auch einen Vertrag kriegen, einen richtigen, wenn auch bei Union 03, einem Zweitligaklub, aber er würde wenigstens

spielen. Er hatte es in der Sportzeitung lesen können. Von Nobby und Manni hatte er nichts mehr gehört, nichts mehr auch von Karin. Er war ja noch gar nicht wieder zu Hause gewesen. Ab und zu ein Brief seiner Eltern, kurz und knapp: »Uns geht es gut, wie geht es dir?«, den er auf die gleiche Art per Postkarte beantwortete: »Mir geht es gut, wie geht es Euch?«

Das alles fiel ihm auf die Nerven. Er brauchte jemanden, mit dem er sich mal richtig aussprechen konnte. Aber er hatte mit fast allen Kollegen in seinem Verein Krach: Lauterbach, Wangenmüller und dadurch gleichzeitig natürlich auch mit Umbach und Hantsch, die anderen Alten, den »Korsettstangen«, wie Iwan Wollschläger sie nannte.

»Niemand meint's gut mit mir«, antwortete er deshalb. »Ich hab die ganze Mannschaft gegen mich.«

»Mich nicht«, sagte Robert. »Ich hab ja dieselben Schwierigkeiten. Nur kenne ich mich allmählich darin aus, dies ist nicht mein erster Klub.«

»Dann hast du's eben besser. Manchmal weiß ich überhaupt nicht, was ich noch tun soll. Da trainiert man wie 'n Irrer, um dem Trainer aufzufallen, schon haut einem das ›Ohr‹ auf die Schnauze, man soll sich nicht so anbiedern, jeder wüsste, wie gut ich bin.«

Robert sah ihn lächelnd von der Seite her an.

»Ehrlich, hat er gesagt. Dann sitzt man auf der Bank, hat's endlich geschafft, wenigstens in den Kader zu kommen, schon ist ein anderer da, Backe, und droht einem, wenn man nicht drauf verzichtet, auf den Platz, dann kriegte man's mit ihm zu tun. Du ahnst ja gar nicht, was da so läuft.«

»Doch, ich weiß das, nicht was dich betrifft. Aber ähnliche Erfahrungen hab ich auch gemacht. Solltest dich einfach nicht dran stören. Mach deine Arbeit, Franz, lass sie links liegen.«

»Du hast gut reden. Du bist der bekannte Robert Monschau, ich bin 'ne miese Laus für die anderen. Keiner spricht für mich.

Aber für den Backe, diesen Klumpfuß, für den setzen sich 'ne Menge Leute ein, damit er bloß drin bleibt. Für mich nicht.«
Sie fuhren eine Weile schweigend durch die Gegend, der Triumph röhrte anhaltend, der Wind fuhr ihnen fauchend ins Gesicht, ließ ihr Haar flattern. Das biß und kratzte in den Poren. Einen solchen Wagen würde sich Franz nicht zulegen wollen. Für Sportwagen hatte er nichts übrig.
»Ich lad dich ein«, sagte Robert unvermittelt.
»Was willst du tun?« Franz schien den Sinn des Satzes gar nicht erfassen zu können.
»Zu mir nach Hause. Ich hab ja schon ein paar eigene vier Wände. Meine Frau und ich, wir sind auch noch ohne Anschluss hier. Aber nur, wenn du Lust hast.«
Und ob Franz dazu Lust hatte. Das war ja ein ganz fantastischer Tag heute: da hatte er sein erstes richtiges Spiel im grünweißen Dress der Borussia gemacht, hatte sich gegen Backe Wangenmüller durchgesetzt, hatte ein Mädchen kennengelernt – von dem hatte Robert ihm zwar abgeraten, aber da ließ er sich sowieso nicht dreinreden und im übrigen hatte ihm das Gespräch einfach Spaß gemacht – und nun fand er womöglich noch einen Freund, der ihn ein wenig an seiner Erfahrung teilhaben ließ. Das waren gute Aussichten.

8

Ein Spiel nur von der Bank zu erleben ist nicht sehr erhebend für einen jungen Mann von nunmehr achtzehn, wenn er von seiner Klasse überzeugt ist. Jedenfalls saß Franz mit auf der Bank, als der Meisterschaftsbetrieb der neuen Serie losging und eigentlich war das schon recht viel. Er hätte zufrieden sein können, denn er gehörte mit zum Kader, hatte Anteil an den Spiel- und Gewinnprämien und das war der Lohn seiner Arbeit.

Wollschläger hatte das natürlich auch begründet: »Für den Anfang brauche ich eine verlässliche Mannschaft, eine Mannschaft der Routiniers. Bis die Karre läuft und ich sehn kann, wohin.«

Also erhielt Backe Wangenmüller doch den Vorzug vor ihm und Backe griente ihn an, nachdem der Trainer die Anordnungen getroffen hatte. Hennes dagegen mischte sich in diesen Konkurrenzkampf nicht mehr ein. Anscheinend hatte Wollschläger ihm ein paar passende Worte gesagt. Franz musste zugeben, dass Backe besser geworden war, seit er wusste, dass jemand hinter ihm stand und bereit war, ihn aus der Mannschaft zu feuern. Und Franz brannte darauf, ihm das bei der ersten Gelegenheit zu besorgen.

Inzwischen war er auch einmal zu Hause gewesen, hatte sich sehen lassen im Dorf, bestaunt und bewundert. Er war nur darauf bedacht gewesen, nicht mit Karin zusammenzutreffen. Die Sache schien abgeschlossen und vorbei.

Manchmal dachte er jetzt an Renate. Aber was sollte er mit der? Auch sie ein Mädchen aus einem Dorf. Wenn schon ein Mädchen, dann musste es eines aus der Stadt sein, da musste

was dran sein, damit musste er angeben können. Nicht so eine Dorfschönheit, mit der ihn die anderen aufziehen würden.
Seine Eltern waren natürlich mächtig stolz auf ihn und er musste einen eigens für ihn arrangierten Verwandtenbesuch mit Kaffee und Kuchen und einem Abendessen über sich ergehen lassen, wobei auch viel getrunken wurde. Aber er blieb standhaft.
Die anderen hatten Verständnis dafür, denn schließlich war ihr Verwandter, von dem bald alle Welt reden würde, ein Fußballprofi; jedenfalls hatte sein Vater ihnen das erzählt. Von dem Unterhaltszuschuss und seinem weiterwährenden Amateurstatus hatte er ihnen nichts gesagt. War ja auch ganz gleich, es kam auf dasselbe heraus.
»Werde wohl mit dabei sein«, hatte er getönt und insgeheim gehofft, dass er beim ersten Spiel mit auflaufen würde. Aber dann zog »Iwan« doch Backe vor. Mochte er. Irgendwann wäre er dran und Backe draußen.
Noch aber saß er auf der Bank und sah zu, wie sich seine Kollegen abmühten, ein Tor gegen Kaiserslautern zu schießen, die mal wieder mit Mann und Maus drinstanden und mauerten. Damit wurde die Borussia anscheinend heute nicht fertig, das Sturmspiel lief nicht, obwohl man den Jungen ansehen konnte, dass sie alles gaben, was sie an Kraft und Ausdauer hatten, auch an Spielverständnis.
Aber zu Beginn einer Saison ist das immer dasselbe: ehe es richtig läuft und man dahinter kommt, was man von sich selbst und den anderen Mannschaften halten soll, sie richtig einzuschätzen gelernt hat, ist die Hälfte der ersten Serie vorbei und man hat meist ein paar Minuspunkte zuviel auf dem Konto.
Zwei Plätze weiter saß Wollschläger und je länger das Spiel dauerte, umso unruhiger wurde er, seine Lautstärke in den Kommandos nahm zu, aber er sah nicht aus, als änderten sie viel am Spielverlauf. In der Halbzeit, als sie ihren Tee schlürften, sagte Wollschläger: »Da kommt nichts von hinten. Der

Bumsi tändelt da minutenlang mit dem Ball herum, ohne einen Meter Raum zu gewinnen. Gib den Ball ab, lass ihn laufen und den Gegner. Und dann du, Toni. Geh mit deinem Mann, wenn er abzieht, mach nicht Pause, beschäftige ihn, lass ihn nicht zum Flanken kommen. Jetzt in der zweiten Halbzeit müsst ihr kommen, müsst ihr eure bessere Kondition ausspielen. Die sind doch noch gar nicht in Schuss, die bringen doch nun absolut nichts. Wenn's nicht klappt da vorne, werde ich Hanke einwechseln und der Bumsi geht raus. Irgendwann, ich sag Backe an der Linie Bescheid, der ist jetzt auf meiner Seite. Und vielleicht auch den Kleinen, muss mal sehn. So gegen Schluss, wenn wir noch kein Tor gemacht haben. Der Kleine macht eins, da könnt ihr Gift drauf nehmen. Was, Kleiner?«
Franz lief rot an, während er nickte. Die Kollegen lachten. Backe aber grinste nicht mehr. Der war schon jetzt fertig, saß auf der Umkleidebank mit hängendem Kopf. »Das schlaucht einen ganz schön bei der Hitze«, sagte er.
»Komm, Backe, sei ein Profi«, sagte Wollschläger.
Die anderen lachten, Backe zeigte keine Regung. Franz hatte darauf gehofft, schon bald in der zweiten Halbzeit eingewechselt zu werden, aber daraus wurde anscheinend nichts. Wahrscheinlich also erst kurz vor Schluss, wenn er nichts mehr verderben, aber alles bisher Verdorbene durch einen guten Schuss in Ordnung bringen konnte. Er zeigte ihnen nicht, dass er enttäuscht war, wartete wie die anderen, bis der Schiedsrichter an die Tür klopfte, und verließ mit ihnen die Kabine.
Wieder ließ er sich neben Hanke auf der Trainerbank nieder, lehnte sich gegen die Plexiglasscheibe und kaute seinen Gummi. Gesprochen wurde auf der Bank kauf etwas, oder wenn doch, dann galt es dem Spielverlauf, waren es Ausrufe oder kurze Kommentare. Dazwischen dann immer wieder Wollschlägers Gebrüll: »Decken! Decken!«, während er die Hände zum Trichter vor dem Mund formte. »Raus da, Toni! Geh, geh! Geh! Ballhalten, Robert! Zeit.« Bis auch er sich wieder beru-

higte und sich zurücklehnte, aber in seinem Blick war immer eine gespannte Aufmerksamkeit. Ihm durfte nichts entgehen. Sie dagegen, die Einwechselspieler, langweilten sich mitunter zu Tode, wenn das Spiel nichts hergab. Man wartete nur auf das Kommando, auf das man die Trainingsjacke auszog und an der Seitenlinie zu traben begann. Franz konnte sich nicht vorstellen, dass dieses Herumtraben etwas einbrachte, aber der Trainer wollte es so, also tat er's, wenn's verlangt wurde. Das war ja auch schon zu einer richtigen Tradition geworden. Viel lieber würde er gleich aufs Spielfeld laufen und dem Ball nachjagen. Er kam sich vor wie ein gezügeltes Rennpferd in der Startbox und alle Spielszenen sah er unter dem Blickwinkel des Ersatzspielers, der es natürlich anders machen würde und besser als der Spieler, den er zu vertreten haben würde.
Franz beobachtete also Backe und wünschte ihm ein paar Fehler, die Wollschläger veranlassen könnten, ihn herauszunehmen. Dann käme er und könnte auftrumpfen! Wie der dribbelte, dachte er, der kann doch rein gar nichts, nicht antrittsschnell genug. Da brachte er weit mehr Grundschnelligkeit. 11,8 lief er auf die hundert Meter, Backe brachte es im Training höchstens auf 12,5. Und dann: wie der den Ball führte, immer rechts, rechts; es sah aus, als habe er eigentlich gar keinen linken Fuß, denn beim Schuss versuchte Backe immer wieder, sich den Ball rechts vorzulegen, musste er eine halbe Körperdrehung vollführen, um schussbereit zu sein. Er sah all die Fehler und hoffte, noch mehr zu entdecken. Wenn er erst einen Stammplatz hätte, würde er es Backe sogar sagen. Noch aber musste er den Mund halten, durfte nicht hinausposaunen, für wie gut er sich selbst hielt.
Das Spiel stand immer noch 0:0, war schon sechzig Minuten alt und es war abzusehen, dass Kaiserslautern bei dieser Kontertaktik irgendwann ein Tor schießen würde, ein »dummes Tor«, wie es der Reporter am Mikrofon nennen würde, und dann wäre das Spiel verloren. Hanke durfte endlich auf den

Platz und Bumsi Hantsch kam heraus. Mit Hanke wollte Wollschläger das Mittelfeld verstärken, damit dieses befürchtete »dumme Tor« nicht passierte: ein frischer Mann für die Abwehr, denn der bisher erreichte Punkt war immerhin ein Punkt und blieb einer, wenn's am Ende des Spiels noch 0:0 stand. Denn auf alle Fälle durfte die Borussia nicht verlieren.
Es war kein Dampf in ihrem Spiel, die direkten Spielzüge klappten nicht, die Mannschaft hatte einfach noch nicht ihren Rhythmus gefunden.
»Jetzt bin ich's satt«, hörte Franz den Trainer plötzlich sagen. »Kleiner, zieh dich aus.« Gleichzeitig gab er Hans Reuther, dem Assistenten, ein Zeichen und der sprang auf und lief zum Spielfeldrand.
Franz spürte sein Herz in der Kehle, im Magen und im Leib gleichzeitig, sein ganzer Körper war ein einziger Herzschlag. Jetzt war es soweit! Längst war er aufgesprungen und hatte seine Trainingsjacke abgeworfen, trabte am Spielfeldrand entlang und wartete nur auf das Zeichen Hans Reuthers, um das Spielfeld zu betreten, und er würde zum ersten Mal in einem Spiel der Bundesliga mitspielen. Er spürte schon die Blicke der Zuschauer auf sich ruhen und wusste, wie sie reden würden.
»Wen bringt der Iwan denn jetzt?«
»Wer ist das eigentlich?«
»Kennst du die Flasche? Wen will er rausnehmen?«
Die Kritik der Zuschauer würde er nur durch ein gutes Spiel zum Schweigen bringen können. Die Zuschauer sind skeptisch, undankbar und vergesslich, nur die augenblickliche Leistung entscheidet über Gunst und Ungunst.
Endlich sah er Reuther das Schild mit der aufgemalten »Elf« heben, Backes Nummer, und daneben die »Fünfzehn«, das war die seine. Der Schiedsrichter hatte das Spiel gerade wegen eines Einwurfs unterbrochen und pfiff jetzt abermals zum Zeichen, dass der Einwurf nicht ausgeführt werden sollte. Backe kam ihm entgegengelaufen, sah ihn kurz an und klapste

ihm auf die Schulter, dann ging Franz aufs Spielfeld, drehte sich, um den Schiedsrichter seine Rückennummer zu zeigen, und während der Schiedsrichter eine Notiz in sein Buch machte, ging er an seinen Platz: Linksaußen, da wusste er, wohin er gehört: an die Linie, auf Ballhöhe, um dann steil zu gehen, wie sie es im Training geübt hatten. Er wusste, was er zu tun hatte: ein Tor zu schießen, nichts anderes. »Kleiner, du machst es!« Wenn es nur so einfach wäre.

Der Schiedsrichter pfiff wieder und Hennes Lauterbach machte den Einwurf, warf zu Monschau, der hielt den Ball, schaute, fand zunächst keinen Anspielpunkt und bewegte sich vorsichtig auf das gegnerische Tor zu. Franz setzte sich ebenfalls in Bewegung, immer Monschaus Fuß und den Ball im Auge. Dann hörte er die Lautsprecherdurchsage und es durchrieselte ihn kalt: »Ausgeschieden bei der Borussia ist Wangenmüller mit der Nummer elf, dafür spielt jetzt mit der Nummer fünfzehn Franz Schäfer!«

Sein Name im weiten Rund, laut und vernehmlich. Und die Reporter würden ihn jetzt ins Mikrofon sprechen, damit Millionen Radiohörer davon erführen, dass er spielte, er, Franz Schäfer aus Schmalkotten, einem Nest im Bergischen. Sein Vater würde es hören, seine Mutter, das ganze verdammte Dorf, Karin auch und niemand von ihnen würde sagen können, die Borussia sei eine Nummer zu groß für ihn. Die Borussia passte zu ihm und er zur Borussia. Es hatte sich gelohnt, den Beruf aufzugeben. Er spielte.

Er sah den Ball auf sich zufliegen und entschloss sich im gleichen Moment, ihn mit dem Fuß zu stoppen und ihn gleichzeitig sich selbst vorzulegen, wobei er hoffte, den Lauterer auszutricksen, der ihm auf dem Fuß stand und jede seiner Bewegungen misstrauisch beobachtete. Er kannte ihn nicht, das schärfte seine Vorsicht, aber das genügte in diesem Fall nicht. Franz gelang das Manöver, war an dem Verteidiger vorbei und lief, zögerte, als er sich nicht mehr verfolgt glaubte,

schaute, sah Lauterbach rechts von sich auftauchen, gab ihm den Ball, startete in die Gasse und erhielt den Ball prompt zurück, hatte ihn vor dem Fuß und flankte in den Strafraum.
Ein Lauterer erwischte ihn mit dem Kopf und wuchtete ihn hinaus, aber genau Helbig vor die Füße, der ihn als Dropkick nahm und ihn wieder auf Franz zielte. Er erwischte den Ball noch eben, bevor er die Auslinie überschreiten konnte. Diesmal jedoch täuschte er nur eine Flanke vor, nahm den Ball kurz zurück, wodurch sein Gegenspieler ins Leere hopste. Jetzt drang er langsam dribbelnd in den Strafraum ein, sah zwei rotgekleidete Spieler auf sich losstürzen und gab den Ball abermals auf Helbig, der zurückgezogen an der Strafraumgrenze stand. Um ihn waren Geräusche und Laute und sie beflügelten ihn, er fühlte sich als ein Teil davon, rannte in die Mitte, bekam noch einmal den Ball von Helbig zugespielt und dann gab er ihm eine gefühlvolle Effetdrehung, denn er hatte Hennes Lauterbach gesehen, hörte im gleichen Augenblick seinen Ruf, aber da war der Ball schon zu ihm unterwegs; der hielt nur den Fuß noch hin, der Ball prallte gegen sein Schienbein und von dort über die Linie ins Tor. Lauterbach sprang in die Luft und riss die Arme hoch. Franz strahlte und wusste, dass allein ihm dieses Tor zu verdanken war. Es war sein Tor, ganz klar und er lief zu Lauterbach und umarmte ihn. »Klasse, Hennes«, sagte er und lief weiter.
»Mensch, Kleiner!«, brüllte Hanke und jetzt hingen sie zu dritt, dann zu viert zusammen, bis Lauterbach in die Knie ging und sie alle über ihn herfielen. Das Stadion tobte, Glocken läuteten, Sirenen heulten, Trompeten tuteten und ein Gebrüll umtoste das Knäuel der Spieler, Fahnen wurden geschwenkt, während die rotgekleideten Spieler aus Kaiserslautern herumstanden und nicht wussten, wohin. Jemand holte den Ball aus dem Tor und drosch ihn zur Mittellinie zurück. »Beeilung, meine Herren«, sagte der Schiedsrichter.
Sie lösten sich voneinander und liefen zum Anstoßkreis. Lau-

terbach ballte beide Fäuste und hob sie triumphierend der Trainerbank entgegen. Von dort kam das Zeichen: noch zehn Minuten. »Das halten wir«, sagte Hennes, immer noch strahlend. Franz stellte sich an die Linie.
Das war auf jeden Fall sein Tor, das wollte er festhalten. Und jetzt kam die Lautsprecherdurchsage: »Das war das eins zu null für die Borussia. Torschütze Hennes Lauterbach auf Zuspiel von Rolf Wangenmüller.«
Franz blieb fast das Herz stehen, als er das hörte. »Franz Schäfer« hätte es heißen müssen, verdammt noch mal. Er schaute wütend zur Sprecherkabine unter dem Tribünendach hinauf. Der Jubel schäumte um ihn her, das Stadion tobte und seine beleidigten Gefühle hatten wenig Zeit, sich in ihm festzusetzen. Der Anstoß war bereits erfolgt und er trabte schon wieder los. Helbig, der in seiner Nähe war, rief: »Mach dir nichts draus.«
Aber es wurmte ihn schon. Zu gern hätte er die Bestätigung aus dem Lautsprecher erfahren. Vielleicht würde es wenigstens der Rundfunkreporter richtig gesehen und wiedergegeben haben, damit sie es zu Hause in Schmalkotten erführen, ehe Hennes Lauterbach für ewige Zeiten in die Torschützenliste eingehen und niemand mehr von seinem sauberen Zuspiel reden würde, ohne das der Torschuss gar nicht möglich gewesen wäre.
Sie gewannen das Spiel 1:0 und als sie vom Platz kamen, stand Wollschläger dort und feixte sie an: »Hab ich's nicht gesagt, der Kleine macht das schon.«
»Der Kleine ist nun mal unser Joker«, rief Monschau. »Das könnte zu 'ner echten Masche werden.«
Alle sprachen von diesem Tor, während sie noch über die Aschenbahn gingen und dem Kabineneingang unter der Tribüne zustrebten. Die Stollen unter ihren Fußballschuhen verursachten klappernde Geräusche auf dem Betonboden.
»Und der Hennes hielt bloß noch seinen Schluffen hin«, hörte

Franz sagen und »Einen goldenen Schluffen« und »Der Hennes wird unser Torjäger.«
Man lachte, war guter Dinge und Franz fühlte sich eingebettet in dieses allgemeine Wohlbefinden. Er hatte heute seine erste Prämie verdient, sechshundert Mark auf einen Schlag. Und mehr noch: am nächsten Samstag in Bremen würde er wieder dabei sein. Wollschläger käme gar nicht mehr um ihn herum. Er freute sich schon jetzt auf die Zeitungsberichte am Montag. Natürlich würde er die Ausschnitte sammeln, vielleicht gab es schon ein Bild von ihm; vielleicht würde seine gute Vorarbeit zu dem Tor auch im Fernsehen zu sehen sein.
»Wird das Spiel gebracht?«, fragte er.
»Du willst dich wohl in Zeitlupe sehn?«
»Klar.«
»Ich glaube, im Dritten um halb acht.«
Bis dahin würde er längst zu Hause sein und es sehen können. Er war in Hochstimmung und er duschte sich rasch, kleidete sich an und stand fertig angezogen im Kabineneingang, um auf Monschau zu warten, der ihn mit in die Stadt nehmen würde. Wollschläger wirbelte eine Zeitlang herum und klopfte jedem auf die Schulter, sagte sein »Dank euch, Jungens, habt ihr fein gemacht. Jeder von euch.« Dann ging er zur Pressekonferenz, strahlend.
Endlich kam Robert Monschau und sie gingen zu seinem Wagen auf dem Parkplatz. Der Zuschauerstrom war inzwischen abgelaufen, der Parkplatz fast leer. In der Ferne summte der Verkehr, der sich vom Stadion fortbewegte und wahrscheinlich schon die City erreicht hatte. Robert wollte sich Zeit lassen. »Sollen wir unterwegs was essen oder fahren wir zu uns?«, fragte er.
»Lieber nicht. Ich fahre zu mir. Wenn du mich da irgendwo absetzt.«
»Mensch, Kleiner, schaff dir endlich 'nen eigenen Untersatz an«, Robert lachte. »Du kannst das doch jetzt bei der Prämie.«

»Da müssen aber noch ein paar folgen«, sagte Franz, aber der Wagen war jetzt schon greifbar nahe. Er würde Wollschläger fragen, ob er mit einer Aufstellung für die nächste Zeit rechnen könnte. Dann ließe sich was machen. Im übrigen war Dieter Mettau, ihr Torwart, Teilhaber an einer Autofirma. *Ein* Traum ließe sich also bald verwirklichen. Er bestieg Roberts Wagen und ließ sich in die Stadt chauffieren. Dort verabschiedeten sie sich voneinander und Franz ging den restlichen Weg zu Fuß. Er war guter Dinge wie lange nicht mehr. Er kam in seine »Bude«, warf die Tasche ins Badezimmer, holte eine Flasche Cola aus dem Kühlschrank und schaltete den Fernseher ein, wo er noch ein paar Ausschnitte von den anderen Spielen zu sehen hoffte. Außerdem kannte er die Ergebnisse von den anderen Plätzen noch nicht. Er führte genau Buch über die Ergebnisse, wie früher schon, machte sich eine Tabelle und bei all dieser Tätigkeit erlebte er das Spiel aufs neue, dieses grandiose Spiel namens Bundesliga, er erfuhr es, nahm Sympathien wahr, fühlte unangenehme Regungen bei der Erwähnung bestimmter Vereinsnamen in sich aufsteigen. Er mochte manche, andere wiederum nicht; warum, wusste er nicht.
Während er die Ergebnisse in den vorgedruckten Spielplan eintrug, fühlte er sich bei einigen Vereinen bestätigt, bei anderen überrascht. Dass München mal wieder gewonnen hatte, ärgerte ihn. So viel Glück wie die hat keine andere Mannschaft, dachte er. Dann schrieb er die erste Bundesliga-Tabelle der Saison: die Borussia hatte leider nur 1:0 gewonnen und rangierte deshalb auf Platz fünf. Aber das besagte nach dem ersten Spieltag gar nichts. Immerhin waren es zwei Punkte, sie würden ihnen bei der Endabrechnung zugute kommen. Wollschläger rechnete mindestens mit dem fünften Platz, womit dann die Teilnahme am UEFA-Cup gesichert wäre.
Die Sportschau war längst zu Ende, ihr Spiel gegen Kaiserslautern war nicht übertragen worden; man würde es vermutlich im Dritten Programm bringen und bis dahin hatte es noch etwas

Zeit. Er schaltete den Apparat aus und ging in die Kochnische, um sich ein Brot zu machen und die Milch aus dem Kühlschrank zu nehmen.
In diesem Augenblick klingelte es an seiner Wohnungstür. Vor Schreck wäre ihm beinahe die Milchtüte aus der Hand gefallen. Dass jemand bei ihm schellte, kam höchst selten vor. Wer also mochte das sein?
Ob bei Monschaus was passiert ist, schoss es ihm durch den Kopf, während er die Milchtüte abstellte und den Kühlschrank wieder schloss. Vielleicht auch sein Vater, die Eltern, wer wusste denn, auf was für komische Ideen die verfielen. Möglicherweise hatten sie sich das erste Spiel ihres Sohnes im Stadion angesehen und kamen jetzt, um ihn zu beglückwünschen.
Der Nadelfilz dämpfte seine Schritte, die Tür zur Diele stand offen, er brauchte sich also keinen elektrischen Schlag an der Klinke zu holen wie gewöhnlich. Dann stand er an der Wohnungstür, wo plötzlich die Klingel wieder zu schrillen anfing. Er zuckte abermals zusammen. Der Spion, dachte er, schau erst mal durch den Türspion. Er hörte Geräusche von Füßen draußen, glaubte ein unterdrücktes Lachen zu hören, Mädchenlachen, Gekicher. Er äugte durch den Spion und sah zwei Mädchen vor der Tür stehen. Karin? durchzuckte es ihn. Nein, Karin war es nicht. Aber jetzt erkannte er sie: es war Renate aus Reusrath. Sie mit ihrer Freundin, wie er vermutete. Und ihm fiel wieder jener Sonntag vor ein paar Wochen ein und die kurze Unterhaltung, derentwegen er sich Monschaus Gardinenpredigt hatte anhören müssen, für nichts und wieder nichts. Aber jetzt stand diese Renate kichernd vor seiner Wohnungstür und ihm fiel ein, dass er ihr seine Adresse gegeben und sie ihm versprochen hatte, demnächst vorbeizukommen. Er hatte sich nichts dabei gedacht. Ihm schoss das Blut in den Kopf. Dieser Besuch war ihm unangenehm, er war schon wieder darüber hinaus, der Sonntag war vergessen, das Gefühl auch, das er

damals empfunden hatte, als sie neben ihm auftauchte und ihn nach dem »tollen Schlitten« fragte.
Dieses Gefühl war nicht mehr zurückzurufen. Für ihn stand deshalb fest: er würde die Tür nicht öffnen. Er konnte die beiden unmöglich hereinlassen. Auch noch zu zweit, die waren wohl verrückt geworden! Schließlich war er fast ein Profi der Borussia. Wenn schon Frau, dann eine richtige, dachte er, da musste wirklich alles dran sein. Er war ja nun schon wer: Heute hatte er das alles entscheidende Tor vorbereitet, von ihm würde am Montag in allen Zeitungen der Bundesrepublik die Rede sein. Und am nächsten Samstag würde er wieder in der Mannschaft stehen.
Es klingelte noch einmal und Franz sah wieder durch den Spion hinaus ins Treppenhaus. Das Kichern hatten sie eingestellt. Jetzt sah er Renates vorgeschobene Unterlippe, als wäre sie enttäuscht. Das konnte er sich lebhaft vorstellen. Aber er mochte ihr nicht helfen.
Endlich drehten sich die beiden um und verließen den Platz vor seiner Tür, verschwanden schließlich auf der Treppe. Nicht mal den Lift nehmen sie, diese Bauerntrampel, dachte er. Dann ging er zurück in die Küche, holte sich die Milchtüte und sah sich später im Dritten Programm des Fernsehens zu, wie er Hennes den Ball servierte, den der dann über die Torlinie schob. Alles in Zeitlupe. Mann, was für ein Gefühl!

9

»Ich hab’s kommen sehn und hab Sie gewarnt«, sagte Borsowski.
»Einen Dreck haben Sie«, antwortete Wollschläger und man sah ihm an, wie sehr ihn Borsowskis Ausspruch ärgerte. »Und ich will Ihnen auch sagen, warum. Weil Sie mir gar nichts zu sagen haben.«
»Mensch, Max«, sagte Lippmann. »Nun regen Sie sich doch bitte nicht so auf. Kritik muss man unter uns doch äußern dürfen.«
»Anscheinend nicht«, sagte Borsowski. Er steckt sich eine Zigarre an, rauchte paffend.
Es herrschte dicke Luft im Klubzimmer der Borussia, nicht nur was den Qualm der Zigarren und Zigaretten anging. Eben war das Spiel der Borussia im heimischen Stadion gegen Eintracht Frankfurt zu Ende gegangen und die Borussia hatte 2:3 verloren.
»Richard hat recht«, mischte sich Collin ein. »Den Schäfer zu bringen war Wahnsinn. Der ist für so ein Spiel noch viel zu jung, viel zu unerfahren. Das haben wir ja nicht nur heute gesehen. Schon im letzten Spiel gegen Bremen . . .«
»Unsinn«, knurrte Wollschläger. »Er hatte heute einen schlechten Tag, dafür aber hat er uns das erste Spiel gewonnen.«
»Aber schon in Bremen war er ein glatter Ausfall«, vervollständigte Collin seinen Satz. In Bremen hatte die Borussia eine Woche zuvor 0:0 gespielt.
»Auch dagegen wehre ich mich, meine Herren.« Wollschläger nahm den Kopf hoch und sah sie an und man merkte, wie sehr

er sie verachtete, Lippmann vielleicht ausgenommen. »In Bremen haben wir ein Unentschieden erreicht und ich habe Schäfer mit der klaren Anweisung in die zweite Halbzeit geschickt, seinen Verteidiger zu decken. Und genau das hat er getan. Zugegeben, heute hat er Scheiße gebaut. Dieser Elfmeter war nicht notwendig.«
Wollschläger ließ den Kopf sinken. Er sah die Szene vor sich: wie Franz Schäfer wie ein Amokläufer hinter Grabowski herrannte und ihn im Strafraum mit einer regelrechten Sense zu Fall brachte, offenkundig und absichtlich, obwohl der Ball die Auslinie längst überschritten hatte und keine Gefahr mehr für ihr Tor bestand. Und das alles nur deshalb, weil Grabowski ihn eine halbe Minute zuvor am Knöchel erwischt hatte, vielleicht sogar unabsichtlich, aber nichtsdestoweniger schmerzhaft.
Er kannte dieses Gefühl, ein Gefühl des Unrechts, denn nicht einmal einen Freistoß hatte der Schiedsrichter dafür verhängt, dass getreten worden war; und ehe man sich's versieht, sinnt man auf Rache, ist hinter dem Täter her und foult ihn, egal wo und wie. Hier gab es einen Elfmeter beim Stand von 2:2 und das war so kurz vor Schluss gleichbedeutend mit einer Niederlage. Das hätte sich Franz Schäfer unbedingt sagen müssen.
»Er gehört eigentlich auch noch gar nicht in diese Mannschaft«, ließ sich Borsowski wieder vernehmen. »Sehn Sie, ich will Ihnen ja nun wirklich nicht ins Handwerk pfuschen. Aber das müssen Sie doch selbst sehn: ein Junge, der seine Nerven nicht beisammen hat und bei jedem kleinen Schmerz, den man ihm zufügt, aus dem Häuschen ist, ist eben noch nicht reif für dieses harte Geschäft. Und es ist ein hartes Geschäft, darüber sind wir uns doch alle im klaren.«
»Und wie«, sagte Lippmann. Anscheinend glaubte er, damit etwas retten zu können.
»Morgen zieht uns die Presse das Fell über die Ohren«, sagte Collin. Wollschläger warf ihm einen wütenden Blick zu, sagte

aber nichts. »Die warten doch nur darauf, uns eine verfehlte Einkaufspolitik vorzuwerfen. Das ist der Punkt.«

»Ich lasse mir meine Arbeit nicht miesmachen«, sagte Wollschläger dann noch. »Und auch nicht meine Mannschaft. Sie gibt ihr Bestes, auch der Kleine tut das. Das wird ihm eine Lehre sein. Gut, dass es ihm zu Beginn der Saison passiert ist, da lässt sich auch eine Heimniederlage noch verschmerzen. Nächsten Samstag müssen wir dann eben in Berlin gewinnen.«

Borsowski lachte laut. Er hielt seine Zigarre weit von sich, lehnte seinen massigen Oberkörper nach hinten und wieherte.

Wollschlägers Miene verfinsterte sich noch mehr. »Trauen Sie das meiner Mannschaft nicht zu?« Er betonte es gern, dass er die Borussia für *seine* Mannschaft hielt.

»Ehrlich gesagt: nein«, Borsowski unterbrach sein Gelächter nur mühsam.

»Wir holen doch mindestens einen Punkt«, warf Lippmann ein, als wolle er abermals vermitteln.

»Einen?«, fragte Wollschläger. »Zwei holen wir ab. Und ich gehe dabei jede Wette ein.«

»Eine Kiste Sekt«, sagte Collin.

»In Ordnung.«

»Das sind alles Zeugen«, Borsowski deutete mit seiner Zigarrenhand in die Runde.

»Na schön, dann ist ja alles wieder im Lot«, sagte Lippmann.

»Moment noch«, wandte Collin ein. »Ich möchte doch, dass wir hier und heute festlegen, dass Schäfer rausgenommen wird. Der ist doch Amateur, warum spielt er eigentlich nicht in unserer Amateurmannschaft? Da könnte er sich doch ein paar Sporen verdienen.«

»Dazu werdet ihr mich vorläufig nicht kriegen.« Wollschläger fixierte Collin scharf. »Der Junge ist der Fleißigste beim Training und im Spiel zerreißt er sich fast vor Ehrgeiz. Der braucht einfach eine gewisse Spielpraxis und die kriegt er nur auf dem Spielfeld.«

»Ich sag's ja: bei den Amateuren«, sagte Collin.
»Hören Sie auf, mir reinzureden. Die Amateure spielen in der Landesliga. Wissen Sie eigentlich, was das heißt? Was das für ein Klassenunterschied ist? Das sind drei Klassen, Herr Collin.«
»Diese Art Belehrungen brauche ich nun weiß Gott nicht«, Collin schien beleidigt.
Lippmann räusperte sich: »Ich weiß nicht, meine Herren, aber wir sollten doch untereinander zu einem Konsensus kommen können. Natürlich will Ihnen niemand dreinreden, Max. Die Dinge sind ja zwischen uns abgeklärt, die Kompetenzen verteilt und abgegrenzt; aber man kann schließlich mal drüber reden. Sehen Sie, der Schäfer ist doch gerade erst achtzehn. Du liebe Zeit, dem steht doch noch der ganze Bundesligahimmel offen. Ihm würde es wirklich nicht schaden, wenn er zu Beginn seiner Karriere einen kleinen Denkzettel verpasst kriegte. Der muss wissen, dass er dem Verein heute einen schweren Schaden zugefügt hat. Das könnte, wenn in Berlin nicht wenigstens ein Punkt geholt wird, der Verlust von zehntausend Zuschauern beim nächsten Heimspiel bedeuten. Und Sie wissen, was das in Mark und Pfennig ist.«
»Achtzigtausend«, knurrte Borsowski, der Schatzmeister.
»So ungefähr«, fuhr Lippmann fort. »Das muss dem Jungen klargemacht werden. Der muss lernen, mit welchen Summen jongliert wird. Dass er Verantwortung trägt.«
»Ich werde ihm schon das Entsprechende sagen«, antwortete Wollschläger.
»Mehr wollte ich ja auch gar nicht«, sagte Borsowski.
»Dann sind wir uns ja wieder einig.« Lippmann freute sich und dass es so weit gekommen war, schrieb er natürlich sich und seinem Verhandlungsgeschick vor.
»Trinken wir noch einen?«, fragte Collin. Das Thema Schäfer war beendet.

Währenddessen befand sich die Mannschaft in der Kabine, einige Spieler standen nackt unter der dampfenden Dusche, andere waren schon dabei, sich ihre Kleidung überzustreifen. Es war, abgesehen von dem Geräusch des ausströmenden Wassers, sehr still in den beiden Räumen. Jeder schien nach dieser Niederlage mit sich und seinen Gedanken beschäftigt, trauerte der verlorenen Prämie nach.
Es war dann Toni Umbach, einer der älteren Spieler, der plötzlich laut: »Scheiße!« schrie, weil ihm der Schnürsenkel seines Schuhs gerissen war.
»Endlich«, sagte Bumsi Hantsch.
»Was: endlich?«, fragte Backe Wangenmüller, der schon fertig angezogen dasaß, weil er diesmal nur Ersatzspieler gewesen war.
»Dass einer ein Wort sagt«, vervollständigte Bumsi seinen Satz. »Ist ja nicht zum Aushalten hier!«
Robert Monschau erschien aus dem Duschraum, war noch dabei, sich mit dem Handtuch trocken zu reiben.
»Was ist nicht zum Aushalten?«, fragte er, ein wenig verständnislos in die Runde blickend.
»Ach, jetzt du auch noch!« Umbach war immer noch mit dem Schnürsenkel beschäftigt, den er durch einen Knoten zusammenzuflicken versuchte.
»Was denn los?« Robert warf sein Handtuch auf die Umkleidebank.
»Er hat's immer noch nicht gemerkt!«, rief Lauterbach aus einer der hinteren Ecken, während er sich die Krawatte umband.
»Was denn?«
»Dass wir das Spiel verloren haben«, antwortete Hanke. Wieder war es für eine Weile still.
»Wo steckt er überhaupt?«, fragte Lauterbach.
»Wer?«
»Der Kleine natürlich, wer denn sonst.« Alle waren gereizt, das merkte man ihren Reden an.

»Drinnen«, Monschau deutete mit der einen Hand, die gerade in einem Hemdsärmel steckte, auf den Duschraum.
»Diese Arschgeige!«, rief Bumsi Hantsch.
In diesem Augenblick trat Franz Schäfer aus dem Duschraum heraus, den Kopf gesenkt schritt er auf seinen Platz an der Umkleidebank zu, legte die Seifendose ab, das Handtuch beiseite, streifte die Holzpantinen von den Füßen. In Raum war es wieder still geworden.
Franz zog seine Unterhosen an, schlüpfte in sein Hemd, dann setzte er sich, um die Strümpfe anzuziehen. Er wusste, was los war. Trotz des Wassergeräuschs aus den Duschen hatte er einiges von dem Gespräch der Kollegen mitbekommen. Er hatte das Spiel vermasselt, einen Elfmeter verschuldet und sie hatten verloren. Drüben, auf der anderen Seite des Kabineneingangs, hatten die Frankfurter ihre Lieder angestimmt.
Was war er nur für ein Idiot gewesen: hinter dem Grabowski herzuflitzen und ihn umzusäbeln. Was hatte er sich eigentlich dabei gedacht? Kein Gedanke jedenfalls an einen Elfmeter. Er wollte dem Grabowski den Ball abjagen, den er ihm mit einem Foul genommen hatte. Mehr eigentlich nicht. Aber dann traf er sein Bein. Er wusste auch nicht, wie das geschehen war. Er konnte es sich nicht erklären. Es war passiert: Grabowski lag da, wälzte sich theatralisch ein paar Meter weiter in den Strafraum hinein, hielt die Arme vors Gesicht.
Aus, hatte er sich gedacht, aus und vorbei. Denn längst hatte der Schiedsrichter gepfiffen. Er sah ihn heranlaufen und mit einem steif ausgestreckten Arm auf den weiß markierten Punkt im Strafraum zeigen. Das Volk johlte, wollte es nicht wahrhaben. Das Spiel stand unentschieden und es waren nur noch wenige Minuten zu spielen. Aber er wusste, der Schiedsrichter hatte gar keine andere Wahl.
Als er für einen kurzen Moment aufblickte, sah er die Blicke der Spieler auf sich gerichtet. Erledigt, dachte er, du hast ihnen die Prämie versaut. Und dann erst »Iwan«, an den wagte er gar

nicht zu denken. Lauterbach bestürmte natürlich den Schiedsrichter, ein Knäuel von Spielern hatte sich um den Mann in Schwarz gebildet, der mit herrischen Gesten seine Entschiedenheit anzeigte. Franz beteiligte sich nicht daran. Er wusste, was geschehen war. Es war absichtlich geschehen, er wollte Grabowski ebenso fallen sehen, wie er sich selbst hatte fallen sehen, ohne dass der Schiedsrichter gepfiffen hatte. Er wollte ihm etwas heimzahlen. Dass er schon im Strafraum war, war ihm nicht klar geworden.

Jetzt redeten sie über ihn, würdigten ihn keines Blickes, nicht mal Robert. Er schielte zu ihm hin, aber der stand vor dem Spiegel und kämmte sich das Haar. Dann erschien Hennes Lauterbach zwischen den Umkleidebänken, fertig angezogen, sah kurz auf ihn nieder und sagte: »Ich werd schon dafür sorgen, dass das vorläufig dein letztes Spiel war.«

»Mensch, Hennes«, mehr fiel ihm nicht ein. Er band sich die Schuhe zu und sah ihm nach, wie auch er vor den Spiegel trat, den Kamm in der Hand.

»Du sollst wissen, wie die Mannschaft drüber denkt«, sprach Hennes weiter und kehrte ihm den Rücken zu. Was du heut gemacht hast, das ist glatter Kameradendiebstahl.«

Er stand von der Bank auf. Die in seiner Nähe stehenden Spieler wandten sich ab, bückten sich nach ihren Taschen.

»Aber wieso denn?«, fragte er. »Ich wollt's doch gar nicht.«

»Wollt's doch nicht!«, äffte Hantsch ihn nach. »Wenn ich das schon höre! Du hast aber, verdammt noch mal. Uns um unsere Prämie gebracht hast du, du Armleuchter, kapier's endlich.«

»Ich weiß ja.«

»Dann quatsch nicht so dämlich!«, brüllte Umbach.

»Hab ich's euch nicht gesagt«, ließ sich Backe Wangenmüller vernehmen, er stand schon zum Weggang bereit an der Kabinentür. »Der Kleine schafft uns alle. Erst mich, dann euch. Aber auf mich hört ja keiner. Mich kann er ja ruhig aus dem Kader drängen, da kümmert sich niemand drum.«

»Ich geb's ja zu.« Franz war verzweifelt, er sah seinen Fehler ein, der natürlich nicht wieder gutzumachen war; das Spiel war beendet und verloren. Aber die konnten ihn doch deswegen nicht lynchen. »Ich geb's ja zu, Menschenskinder, aber es ist nun mal nicht mehr zu ändern. Ich gäb was drum, wenn ich's rückgängig machen könnte. Glaubt mir's doch!«
Er sah, wie Robert Monschau seine Tasche schloss, sie in die Hand nahm, die Jacke über die Schulter legte und auf die Tür zuging. »Tschüs«, sagte er, »bis Montag.« Er öffnete die Tür und war verschwunden. Er hatte ihn nicht mitgenommen, er hatte ihn hier zwischen all diesen Männern, die seine Feinde waren, stehen lassen.
Robert! wollte er hinter ihm herrufen, Mensch, wart doch! Aber da war schon wieder dieser Hennes Lauterbach, dieser Mannschaftskapitän, der ihn hergeholt hatte und sich nicht die Bohne um ihn kümmerte, er hatte sich ihm wieder zugedreht.
»Du hast Verantwortung, mein Lieber«, sagte Hennes. »Nicht nur für dich, sondern für den ganzen Klub. Das kostet den nämlich 'ne Stange Geld, dieser Scheiß-Elfmeter. Übers Wochenende kannst du's dir mal ausrechnen.«
»Ich verlange, dass du mit dem Iwan sprichst«, sagte Wangenmüller.
»Um deine Sache geht's jetzt nicht«, antwortete Hennes. »Hier geht's um die Mannschaft.«
Franz zog den Kamm durchs Haar, es hatte keinen Zweck mehr, auf die Vorwürfe zu antworten. Jedes weitere Wort machte es nur noch schlimmer. Er wollte weg, raus aus der Kabine, fort von dieser Mannschaft, in der niemand ihn mochte. Jetzt wandte sich selbst Robert Monschau von ihm ab. Warum half nicht wenigstens er ihm? Der hatte doch Erfahrung in diesen Dingen, der hätte ihm doch zumindest einen Tip geben können. Stattdessen ging er, ohne ihn, wie sonst üblich, mitzunehmen.
Vielleicht wartet er draußen, dachte er, vielleicht wollte er sich

vor den anderen Kollegen keine Blöße geben. Er wartete bestimmt draußen in seinem Wagen. Franz beeilte sich, um noch vor den anderen wegzukommen, und er schaffte es. Er merkte, wie sie ihm nachsahen, als er grußlos den Raum verließ, aber sollten sie ruhig. Deren Achtung und Wohlwollen würde er nie erringen. Er musste sich allein durch seine Leistung vorwärts bringen. Er rannte, die Tasche in der Hand, über den Stadionvorplatz zu den Wagenplätzen für die Mannschaft und den Vorstand. Er kannte den Standort von Roberts rotem Triumph, denn der hatte ihn ja hergebracht. Vor der Umzäunung stoppte er und blickte angestrengt die Wagenreihen entlang, aber den Triumph konnte er nirgendwo entdecken.
Da stand er nun, als Beinahe-Profi des FC Borussia, vor zwei Wochen noch der Held des Spiels gegen Kaiserslautern, vor einer Woche in Bremen noch mit einem Trainer-Lob bedacht wegen seines guten Abwehrspiels, hier stand er nun nach einem verkorksten Spiel, einem von ihm verschuldeten Elfmeter, und keiner war da, der ihm half, drüber wegzukommen. Die ließen ihn glatt mit der Straßenbahn nach Hause fahren. Langsam machte er sich allein auf den Weg zur Haltestelle.

10

Das nächste Training fand diesmal schon am Montagmorgen statt und Max Wollschläger richtete es so ein, dass er vor den Spielern auf dem Gelände am Klubheim war. Er wusste, dass Franz einer der pünktlichsten war, und wollte ihn beiseite nehmen, bevor die anderen eintrafen. Er zog sich deshalb gleich um und stand in seiner Trainingskleidung – Sportschuhe, Trainingshose und Mannschaftstrikot –, die Trillerpfeife ums Handgelenk geschlungen, am Staketenzaun und hatte einen Fuß gegen die Haltestange gestützt.
Ihn schmerzte die Niederlage schon nicht mehr so sehr. Er war Pädagoge genug, um zu wissen, dass eine solche Heimniederlage auch ihre nützlichen Seiten hatte. Sie würde ihm dabei helfen, die Mannschaft aufzumöbeln, zu motivieren. Die würde jetzt ganz anders spuren, dessen war er sicher und als er sie kommen sah, einen nach dem anderen, Taschen schlenkernd und mit einem verlegenen Lächeln um die Mundwinkel, erkannte Wollschläger, dass auch sie Bescheid wussten.
Die wissen genau, was ihnen blüht, dachte er.
Nur der Kleine war bisher nicht gekommen. Das irritierte ihn und er ging den Spielern nach, stand schließlich in der Kabine und sah eine Weile zu, wie sie die Schuhe von den Füßen lösten, die Hemden über den Kopf zogen, die Hosen runterließen und endlich in ihre Trainingsklamotten schlüpften. Jetzt sahen sie wenigstens halbwegs wie Fußballspieler aus, alle ein bisschen in Räuberzivil und nicht so schmuck wie samstags bei den Spielen. Beim Training trugen sie gerade das, was sie entweder zu Hause oder hier an Sportkleidung vorfanden: ein buntscheckiger Haufen in blauen, roten und grünen Hemden.

»Weiß einer, wo der Kleine steckt?«, fragte er in den Raum hinein. Alle sahen auf, dann schüttelten sie die Köpfe.
»Hennes«, fragte Wollschläger, »auch du keine Ahnung, wo er stecken könnte?«
»Vielleicht kommt er noch«, sagte Backe Wangenmüller. Wollschläger sah ihn kurz an. »Er ist sonst immer der Erste beim Training.«
»Ein richtiger Musterknabe«, sagte Grüther, einer der Verteidiger, ein langer Mensch mit Wuschelkopf.
»Daran gibt's nichts auszusetzen«, warf ihm Wollschläger zu. »Von dieser Sorte Musterknaben bräuchte ich mehrere, dann liefe hier einiges besser.« Er wandte sich wieder Lauterbach zu: »Irgendwas vorgefallen?«
»Ich wüßte nicht«, sagte der, aber so ganz sicher schien er bei seiner Antwort nicht zu sein.
»Robert, du bist doch manchmal mit ihm zusammen«, er ging langsam auf Monschau zu, der eben mit dem Umkleiden fertig geworden war und mit dem rechten Fuß aufstampfte, um den Sitz des Schuhes zu verbessern. »War er denn nicht bei dir?«
»Nee«, sagte Monschau. »Bei mir war er nicht.«
»Und nach dem Samstagsspiel, hast du ihn da nicht nach Hause gefahren?«
»Nee, diesmal nicht.«
»Und warum diesmal nicht?«
»Schließlich hat er uns die Prämie vermasselt!«, rief Mattau. Wollschläger blieb stehen und sah sich nach ihm um. »Aha«, sagte er, »endlich taucht was an die Oberfläche. Es ist also am Samstag doch was gelaufen zwischen ihm und euch.«
»Deshalb hab ich ihn aber nicht hier stehen lassen«, sagte Robert Monschau. »Ich hatte wirklich keine Zeit.«
»Wir kommen der Sache immer näher, meine Herren. Finden Sie nicht auch?« Wollschlägers Stimme war voller Hohn. »Na, da ist doch noch was gelaufen. Ich kann's mir so richtig vorstellen, wie ihr ihm klargemacht habt, was er euch schuldig

ist. Sechshundert Piepen, was? Wer von euch hat ihn denn nun zwischengenommen? Nun mal raus mit der Sprache.«
»Ich war's.« Hennes Lauterbach senkte den Kopf, um ihn dann aber plötzlich wieder zu heben und seinen Trainer voll anzublicken. »Der muss lernen, um welche Beträge es hier geht.«
»Der Mannschaftskapitän«, sagte Wollschläger und grinste. »Ich glaube fast, Hennes, du bist mit dieser Aufgabe doch etwas überfordert. Findest du nicht auch?«
»Ich habe es auf Wunsch der Mannschaft getan.«
»Und wie hat sich dieser Wunsch der Mannschaft artikuliert? Habt ihr drüber abgestimmt, oder wie?«
»Es wurde in der Kabine natürlich drüber gesprochen. Es war die einhellige Meinung, dass der Kleine uns das Spiel kaputtgemacht hat.«
»Und das soll nur an dem idiotischen Elfmeter gelegen haben?«, frage Wollschläger.
»Ich wär da an deiner Stelle nicht so sicher. Zu dem Zeitpunkt stand's 2:2 und dass es zu den beiden Gegentoren kam, daran trugen ein paar andere Herren die Schuld. Ich brauche da keinen besonders anzusehen, jeder weiß, wer gemeint ist.« Und er sah Grüther voll ins Gesicht. »Wie da jemand über den Ball gesäbelt hat, damit sich der Hölzenbein den nur noch zu nehmen und damit ins Tor zu marschieren brauchte . . . Das war das eine Tor und das andere, Herr Mattau, wie denken Sie darüber?«
»Ich kam einfach nicht dran«, wehrte sich der Torwart.
»Du erlaubst mir doch ein schwaches Lächeln«, sagte Wollschläger. »Wie eine Oma sahst du aus. Kniet sich hin wie ein Hund beim Kacken, Mensch!«, schrie er nun. »Anstatt sich auf den Ball zu werfen. Wie oft soll ich dir eigentlich noch sagen, wie du Bälle zu halten hast!« Dann senkte er die Stimme wieder. »Kein Wort hätte ich drüber verloren. Aber ihr zwingt mich ja, das auszusprechen, damit auch ihr lernt, wer euch die

Prämien vermasselt hat. Das wart nämlich ihr alle und nicht nur der Kleine.«
»Aber das Foul an Grabowski war doch glatter Schwachsinn«, rief Helbig.
»Natürlich«, Wollschläger machte ein zufriedenes Gesicht. »Das ändert aber doch nichts an der Tatsache, dass vorher schon zwei vermeidbare Tore gefallen waren, die genauso zu unserer Niederlage beitrugen wie das dritte. Ist doch logisch, oder? Na, bitte«, fügte er an, als er die nickenden Köpfe sah. »So, und nun will ich wissen, wo der Kleine steckt. Hennes, Mannschaftskapitän, du kümmerst dich drum.«
»Aber was soll ich denn da machen? Hinter ihm herjagen?« Lauterbach zuckte die Schultern und machte ein unglückliches Gesicht. »Du kriegst im Namen von uns allen den ehrenwerten Auftrag, dich um deinen Mannschaftskameraden zu kümmern. Also, was stehste hier noch rum. Beweg dich.«
Gelächter klang auf, Schadenfreude ließ sich leicht entfachen.
»Scheiße!«, sagte Lauterbach. »Jetzt muss man auch noch das Kindermädchen für den Lahmarsch spielen.«
»Du hast ihn doch hergeholt, oder was ist? Und ihr anderen, raus auf den Platz, damit ihr ans Arbeiten kommt.«
Sie stoben hinaus, als habe man sie aus einer Gefangenschaft entlassen und Wollschläger folgte ihnen gelassenen Schritts.

Lauterbach blieb allein zurück. Er stemmte die Arme in die Seiten und schaute auf die offenstehende Tür, unschlüssig, was er nun eigentlich tun sollte. Dieser Idiot, aus einer Mücke einen solchen Elefanten zu machen! Natürlich hatten sie sich über den Elfmeter so kurz vor Spielschluss geärgert, damit waren auch noch die dreihundert Mäuse flöten, die sie für ein Unentschieden gekriegt hätten. Und wer hatte den Elfmeter verschuldet? Er etwa oder Mattau oder Helbig? Nein, der Kleine ganz allein. Und es war einfach eine Sache der Kollegialität, ihm

das auf die richtige Art plausibel zu machen. Gut, vielleicht nicht mit diesen Worten, aber das änderte nichts dran.
Jetzt stand er hier, Hennes Lauterbach, genannt »das Ohr«, Mannschaftskapitän der Borussia, und sollte den Kleinen herbeischaffen. Wie sich der Trainer das vorstellte. Vielleicht sollte er ihn anrufen. Franz hatte, wie alle anderen, inzwischen einen Telefonanschluss in seine Bude gelegt bekommen. Na schön, würde er ihn also anrufen.
Er war gerade so weit, den ersten Schritt in Richtung Kabinenausgang zu tun, als er Schritte auf dem Gang hörte, und er verhielt in seiner Haltung, um zu lauschen. Fast schleichende Schritte, die immer näher kamen, und Hennes spannte seine Ohren, registrierte die Entfernung und wusste, dass der Fremde in nächsten Augenblick im Geviert der offenstehenden Kabinentür erscheinen würde.
Es war schon einige Male vorgekommen, dass Spielern Geldbörsen aus den Hosen gestohlen worden waren. Einmal hatten sie sogar jemanden geschnappt, als er eben dabei war, auf dem öffentlichen Damenklo eine Geldbörse hinunterzuspülen. Und als der Platzwart den Saugheber geholt und in Tätigkeit gesetzt hatte, kam nicht nur die eine, sondern es kamen gleich neun Geldbörsen zum Vorschein.
Gern hätte sich Hennes versteckt, um den Eindringling auf frischer Tat zu ertappen, aber dazu war es jetzt zu spät. Denn der Fremde stand schon unter der Tür und es war gar kein Fremder, sondern niemand anderer als Franz Schäfer, der Kleine, ebenso erschrocken wie Hennes, der jetzt, wie um sich abzureagieren, »Du Arsch!« sagte.
»Mensch, Hennes«, sagte Franz und holte tief Luft.
»Weißt du überhaupt, wie spät es ist?«, fuhr ihn Hennes an.
Er musste sich einfach Luft verschaffen.
»Ich hab mich verpennt«, antwortete Franz und kam näher, stellte seine Tasche ab.
»Verpennt!« Hennes musterte ihn geringschätzig. »Wegen dir

haben wir hier schon einen richtigen Zirkus veranstaltet. Wo ist denn der Kleine, wo haben wir ihn denn?«, flötete er übertrieben. »Er könnte sich ja weiß Gott was angetan haben. Die bösen, bösen Kollegen haben ihm nämlich am Samstag ein paar wahre Worte gesagt. Diese Mimose könnte sich ja glatt das bisschen Leben genommen haben.«

Lauterbach merkte, wie er allmählich Feuer fing, wie es mit ihm durchbrannte. Zuviel hatte sich in letzter Zeit angestaut. Dieser Radfahrer biederte sich beim Trainer an, zwang die Spieler dazu, noch mehr zu bringen, als sie ohnehin schon taten, drängte sich in die Mannschaft, sprengte sie, zerstörte Bindungen. Und ausgerechnet den hatte er hergeholt. Aber nicht, um Backe Wangenmüller tatsächlich rauszuboxen und sich selbst beim Trainer in ein schiefes Licht zu setzen. Wie stand er denn da?

»Was ist denn eigentlich mit dir los?« Franz schaute ihn aufmerksam an. »Ich hab mich wirklich verpennt. Kann doch mal vorkommen.«

So leicht kam er ihm nicht davon, das hatte der sich so gedacht. Hennes kochte vor Wut. »Spar dir deine Ausreden, mir kannst du jedenfalls nichts erzählen. Erst versaust du einem die Prämie, dann kommst du zu spät und all das hab ich beim Iwan auszubaden. Ich und die Mannschaft. Du bist mir der richtige Kollege, mein Lieber.«

»Ach, halt endlich die Klappe, du Mannschaftskapitän.« Franz bückte sich, um die Schuhe von den Füßen zu streifen.

Jetzt reichte es Hennes. Er trat auf Franz zu und fasste ihn beim Arm, zog ihn wieder hoch. »Nimm dir nicht soviel raus, Kleiner. Einen Stammplatz in der Mannschaft hast du noch nicht.« Er wusste, wie falsch das klang, aber er wusste sich einfach nicht mehr zu beherrschen.

Franz richtete sich abrupt auf und schüttelte seinen Arm ab. »Sag nicht immer Kleiner zu mir, du Ohr!«

Hennes lächelte; er merkte, wie es auch bei Franz zu schmoren

anfing. Da brannte bald eine ganze Lunte und er durfte darauf warten, bis die Explosion erfolgte, bis sich der Kleine endlich eine Blöße gab. »Nun, sieh mal einer an«, sagte er, »da holt man den da drüben vom Mistbeet herunter und kaum ist er hier, spielt er den großen Zampano. Ich will dir mal was sagen, Kleiner . . .«
Aber was er hatte sagen wollen, blieb ungesagt, denn im selben Augenblick fing er einen Schlag mitten ins Gesicht und taumelte zurück. Damit hatte er wirklich nicht gerechnet. Ihn schwindelte, dann traf ihn ein weiterer Schlag an der Kinnspitze. Er konnte sich nicht mehr halten, merkte, wie er fiel. Er sah nichts mehr außer ein paar zuckenden Blitzen auf der Netzhaut, dann war es für eine Weile dunkel. Ein stechender Schmerz im Hinterkopf machte ihm zu schaffen, er rutschte, fiel immer tiefer. Ein großes Erstaunen machte sich in ihm breit.
Plötzlich drang das Wort »Scheiße!« an sein Ohr und er wusste, dass Franz Schäfer es ausgesprochen hatte. Sein Bewusstsein taumelte allmählich an die Oberfläche zurück. Er rührte sich und merkte, dass er auf dem Boden lag. Langsam öffnete er die Augen. Er sah gerade noch, wie jemand eilig die Kabine verließ, hörte noch für eine Weile Schritte auf dem Betonboden des Ganges. Dann war es still um ihn her.
Er richtete sich halb auf, lehnte sich gegen die Fläche einer Umkleidebank in seinem Rücken und atmete tief durch. Er rieb Kinn und Wange an den Stellen, wo er die Schläge hatte einstecken müssen. Wenn das der Iwan erführe! Nicht auszudenken. Dann wären sie beide geliefert. Dieser bekloppte Hund, dachte er, fängt einfach an zu schlagen. Das gab glatt eine vereinsinterne Sperre, für beide. So musste er das sehen. Hennes dachte scharf nach. Niemand war Zeuge des Vorfalls gewesen und Franz war fort, abgehauen. Dem würde jetzt das Hemd flattern. Geschah ihm recht. Wenn er den noch einmal zwischen Tag und Düsternis erwischte, konnte der was erleben! Dafür würde er sorgen. Aber bekannt werden durfte der

Vorfall nicht. Er musste sich auf andere Art und Weise rächen. Der würde sich wundern, der Kleine.
Hennes grinste und setzte sich auf, stützte sich schließlich auf die Handflächen und stieß sich vom Boden ab. Einen tollen Schlag hatte der, Donnerwetter. Mit dem war schlecht Kirschen essen, hätte er gar nicht für möglich gehalten. Aber das würde ihm nichts nützen.
Er musste jetzt so schnell wie möglich von hier weg, so tun, als sei er auf der Suche nach dem verloren gegangenen Kleinen, als sei er telefonieren. Oder noch besser: er musste so tun, als führe er zu ihm hinaus, zu seiner Wohnung. Er musste die anderen bluffen und wenn ihn später jemand fragte und auf seine Blessuren im Gesicht zu sprechen käme, wäre er eben gegen einen Briefkasten gelaufen oder gegen eine Laterne. Auf den Gedanken, der Kleine habe ihn geschlagen, würde sowieso niemand kommen.
Zwar fühlte er sich noch etwas benommen, aber er musste jetzt handeln. Sein Gesicht betastend, stellte er fest, dass sich auf der linken Seite eine leichte Schwellung über dem Backenknochen gebildet hatte. Er musste also schleunigst von hier fort und er konnte nur hoffen, dass niemand den Kleinen gesehen hatte. Aber wie er ihn einschätzte, hatte der keinen Wert darauf gelegt, hier gesehen zu werden. Um so besser.
Hennes nahm seine Fahrzeugpapiere aus der Jacke und den Wagenschlüssel und verschwand, so schnell es eben ging, ohne dabei aufzufallen. Er überquerte in gebückter Haltung den Vorplatz des Klubheims, erreichte den Eingang des Vereinsgeländes und kam zum Parkplatz, wo sein Wagen stand. Er bestieg ihn, warf den Motor an und fuhr los, fuhr in die Stadt hinein bis ungefähr in die Nähe von Franz Schäfers Wohnung, umkurvte einen Platz und fuhr wieder zurück.
Als er die Stadt hinter sich gelassen hatte, hielt er an einem Kiosk an und kaufte eine Flasche eisgekühltes Mineralwasser. Damit kühlte er sich das Gesicht und es tat ihm gut. Der Mann

in der Bude sah ihm dabei zu und rief lachend zu ihm herüber: »Wobei ist es dir denn zu warm geworden?« Denn Hennes sah schon ein wenig eigenartig aus in seiner bunten Sportkluft, die Fußballschuhe an den Füßen und neben sich den Maserati. Anscheinend hatte ihn der Mann nicht erkannt. Vielleicht war er auch gar kein Fußballfan.

Hennes lächelte zurück und fuhr fort, sein Gesicht mit der eisigen Flasche an den bewussten Stellen zu kühlen. Er musste verhindern, dass aus der Schwellung ein »Veilchen« wurde. Später brachte er die Flasche zurück, setzte sich in den Wagen und fuhr zum Vereinsgelände, wo er den Wagen abstellte und zurück zu den Umkleideräumen ging. Dort kühlte er sein Gesicht abermals unter dem Wasserhahn und hatte das Gefühl, die Schwellung gehe bereits langsam zurück. Ein Blick in den Spiegel zeigte ihm zwar eine leicht gerötete Stelle auf dem Backenknochen, aber vielleicht hatte er Glück und es wurde kein blaues Auge daraus.

Dann endlich lief er zum Rasenplatz, übersprang die Barriere wie ein Hochspringer und rannte zu der Gruppe hinüber, mit der Wollschläger gerade beschäftigt war. »Tut mir leid«, sagte er schulterzuckend, »nichts zu machen. War sogar bei ihm zu Hause. Aber auch da ist niemand.« Hennes versuchte ein großes Lächeln und er merkte, wie sich die Haut dabei über dem Backenknochen spannte.

»Und was ist mit deinem Gesicht?«, fragte Wollschläger. »Ach das?« Hennes tastete nach der Stelle. »Ist mir im Umkleideraum passiert. Als ich mir die Fahrzeugpapiere aus der Tasche angeln wollte, bück ich mich und wie ich mich wieder aufrichte, hau ich gegen den verdammten Kleiderhaken. Scheiße.« Die Gruppe um Wollschläger lachte. »Ich hab's schon gekühlt. Hoffentlich zieht's nicht höher.«

»Soll ich dich deshalb auf die Verletztenliste setzen?« Auch Wollschläger grinste.

»So schlimm wird's wohl nicht werden.«

»Du warst also bei ihm zu Hause?«
»Ja, aber es hat niemand aufgemacht. Ich weiß nicht, was ich jetzt noch tun soll, um den zu finden.«
»Gefallen will mir das gar nicht«, sagte Wollschläger. »Ob der nach Hause ist, ich meine: zu seinen Eltern?«
»Auch 'ne Möglichkeit«, antwortete Hennes.
»Wir werden's erfahren, warten wir bis heute Nachmittag oder auch noch bis morgen. Wenn er dann nicht auftaucht oder was von sich hören läßt, müssen wir mal mit seinem Vater telefonieren. Aber jetzt wollen wir hier weitermachen.«

11

Wenn Paul Rademacher, der Hausmeister des Hochhauses an der Stefansweihe, nichts weiter zu tun hatte, pfiff er seinem Hund und ging mit ihm in den Werkraum, der ebenerdig lag und von wo aus er einen guten Blick auf den Hauseingang und die Wiese hatte, die dem Hochhaus vorgelagert war. Dort saß er dann, kraulte dem Hund die Ohren, rauchte eine Zigarette nach der anderen und beobachtete die Leute, die kamen und gingen. Das war seine Lieblingsbeschäftigung.

Außerdem spazierte er gern draußen herum und freute sich, wenn er ein paar Kinder erwischte, die auf dem Rasen Fußball spielten. Er hob Papier auf und untersuchte, ob er nicht anhand von Merkmalen denjenigen herausfinden konnte, der das Papier weggeworfen und damit die Wiese verunreinigt hatte. Paul Rademacher ging ganz in seinem Beruf auf und er verstand ihn halbwegs auch als den eines Ordnungshüters. Er wäre gern Polizist geworden, aber das merkte er erst, seitdem er Hausmeister war. So war er nur Berufssoldat geworden, Feldwebel, danach noch in seinem alten Beruf als Schlosser tätig gewesen, bis er sich auf eine ausgeschriebene Stelle als Hausmeister dieses Hauses bewarb und auch genommen wurde. Jetzt war er wieder in seinem Element, denn er hatte wenigstens ein paar Frauen zu kommandieren, die das Haus putzten; er durfte Putzmittel lagern und ausgeben, Befehle erteilen, Kinder verjagen, Leute beaufsichtigen: er war von seiner Aufgabe beseelt.

Er wusste, dass dieses Haus einer Wohnungsbaugesellschaft gehörte, an der der frühere Fußball-Nationalspieler des FC Borussia, Johannes Lauterbach, beteiligt war. Einige Mieter

der Apartments waren sogar von Lauterbach höchst persönlich vermittelt worden. Und als er von seinem Werkraumfenster aus Franz Schäfer an diesem frühen Morgen in Geschwindschritt auf das Haus zuschreiten sah, obwohl er doch eigentlich beim Training hätte sein müssen, kam ihm das verdächtig vor. Sofort wurde sein polizeilicher Instinkt wach. Er vermutete Unkorrektes. Es war etwas geschehen und Paul Rademacher steckte sich eine neue Zigarette an und dachte nach, was das wohl sein könnte.
Auf jeden Fall musste es etwas mit dem FC Borussia zu tun haben, das stand für ihn fest. Er beschloss deshalb, ein Auge auf diesen jungen Mann zu haben. Mit dem stimmte sowieso einiges nicht. Er war kein Profi, das wusste er von Herrn Lauterbach. Franz Schäfer war Amateur, nur seine Wohnung wurde vom Verein bezahlt. Darüber hinaus war er in einem Warenhaus angestellt gewesen, aber diese Stellung hatte er aufgegeben. Warum wohl? Für Paul Rademacher konnte das nur mit Unregelmäßigkeiten, Zank und Streit zu tun haben. Höchst verdächtig, das alles. Und dann, vor ein paar Wochen, waren zwei Mädchen hier gewesen. Er hatte sie zufällig im Hausflur getroffen, als sie unschlüssig vor dem Lift standen und nicht wussten, wie sie ihn bedienen sollten.
»Na, wo wollt ihr Hübschen denn hin?«, hatte er sie in seiner scherzhaften Art gefragt und sie hatten nach einigem Zieren und Gekicher Franz Schäfers Namen genannt. »Das ist doch der Fußballspieler von der Borussia«, hatte die eine gesagt und er hatte genickt und konnte ihr einiges von dem erzählen, was er wusste. Das war nicht eben viel, aber es genügte für einen kleinen Plausch mit zwei minderjährigen Mädchen, die dem Schäfer auf die Bude rücken wollten.
Aber sie waren dann nach fünf Minuten wieder unten gewesen und hatten eine dicke Lippe gezogen: anscheinend hatte er sie nicht reingelassen. »Wir sind mit ihm verabredet«, sagte die eine, »aber er ist wohl noch nicht von seinem Spiel zurück.«

Die Borussia hatte an dem Samstag 1:0 gewonnen, aber er wusste, dass der Schäfer oben war, denn schließlich hatte er ihn heimkommen sehen. Doch gesagt hatte er den beiden natürlich nichts davon und sie waren betröppelt abgezogen.
Mann, dachte Paul Rademacher und zog an seiner Zigarette, was man als Hausmeister eines solchen Hochhauses nicht alles erlebt; ich könnte glatt ein Buch drüber schreiben.
Gegen Mittag war's dann, als sein Telefon schellte. Er hob den Hörer ab und als er die Stimme erkannte, nahm er Haltung an, denn es war die Stimme des Herrn Lauterbach. »Hören Sie mal«, sagte der, »haben Sie eine Ahnung, wo der Schäfer steckt?«
»Der ist oben«, antwortete er, »in seiner Wohnung.«
»Bestimmt?«
»Wenn ich's Ihnen sage. Ich hab ihn ja heimkommen sehen so gegen elf und seither ist er noch nicht wieder runtergekommen.« Es erfüllte ihn mit Stolz, dass er seinem Chef, als den er Hennes Lauterbach gern betrachtete, so genau Auskunft erteilen konnte.
»Passen Sie auf, Herr Rademacher«, sagte Hennes Lauterbach, »mir liegt sehr viel daran zu erfahren, was er macht. Es soll Ihr Schaden nicht sein, Sie verstehn.«
»Aber natürlich«, beeilte sich Paul Rademacher zu sagen. Auf ihn war Verlass. »Hab mir gleich gedacht, dass mit dem irgendwas nicht stimmt. Ist was passiert?«
»Nein, nein«, sagte Hennes Lauterbach rasch, »es ist nur dass ich eigentlich gern über jeden seiner Schritte informiert sein möchte, wissen Sie.«
»Klar. Was soll ich also tun, Herr Lauterbach?« Da kam eine großartige Aufgabe auf ihn zu, das war etwas nach seinem Geschmack. Nicht nur Leute beobachten, ob sie Wäsche auf den Balkon hängten oder Papier wegschmissen oder den Lift als Spielzeug benutzten oder nachts das Radio zu laut eingestellt hatten, das hier roch nach einer ganz gewaltigen Sache.

»Ich weiß nicht genau, was ich Ihnen zumuten darf, Herr Rademacher. Aber mir wäre es schon lieb, wenn Sie sich informierten, was er so macht. Wohin er geht, zum Beispiel.«
»Ich soll ihm auf den Fersen bleiben?« Paul Rademachers Herz tat einen großen Sprung.
»Ja, so ähnlich. Sie verstehen schon. Ich muss wissen, was er treibt. Würden Sie das für mich tun können? Es hängt viel davon für mich ab.«
»Sie können sich ganz auf mich verlassen, Herr Lauterbach.«
»Wenn was ist, rufen Sie mich an. Sie haben ja meine Nummer.«
Es wurde Abend, bis Franz Schäfer das Haus wieder verließ. Paul Rademacher hatte fast den ganzen Tag an dem Fenster seines Werkraumes zubringen müssen. Einmal war er nur schnell in seine Wohnung geeilt und hatte sich einen Anzug geholt, in den er dann, immer den Blick aufs Fenster, stieg, um gleich startbereit zu sein, wenn der Schäfer auftauchte. Das Essen ließ er sich von seiner Frau in den Werkraum bringen. Ihr gegenüber tat er sehr geheimnisvoll. »Eine ganz wichtige Sache«, sagte er, »darüber darf ich nichts sagen. Es kann sein, dass ich Knall auf Fall weg muss. Und ich weiß auch nicht, wann ich zurückkomme.«
Endlich, gegen sechs, war es soweit. Er hörte den Lift kommen und wartete gespannt, wer sich diesmal an der Haustür zeigte. Das war schon ein paarmal passiert an diesem Nachmittag und stets war es jemand anderer gewesen. Aber nun war es dieser Schäfer, dieser langmähnige Schlaks, von dem er gehört hatte, dass er ein guter Fußballspieler sei.
Sofort war Paul Rademacher hellwach, zog das Jackett an und verließ eilends den Werkraum, rannte durchs Treppenhaus und gelangte an die Haustür, als Franz auf die Bushaltestelle zutrat. Ein Bus war allerdings noch nicht in Sicht. Er blieb deshalb in einiger Entfernung stehen und wartete, bis sich der Wagen auf der langgezogenen und weithin einzusehenden Suitbertus-

straße näherte, wartete dann, bis Franz eingestiegen war, ehe auch er zustieg. Der Bus war gut besetzt, so dass keine Gefahr bestand, dass Franz ihn sehen könnte und selbst wenn, glaubte er kaum, dass der Junge einen Verdacht hegen würde. Am Barbarossaplatz stieg Franz aus und auch Rademacher verließ den Bus.

Er sah den Jungen die Weiherstraße entlanggehen und es kam ihm irgendwie ziellos vor, wie er an den Geschäften entlangschritt, sich ein paar Auslagen anschaute und dann weiterging. Dann aber betrat er eine Gaststätte und Rademacher musste ihm folgen. Er sah unvorhergesehene Ausgaben auf sich zukommen, denn zumindest ein Bier würde er sich jetzt leisten müssen. Das tat er nicht gern, aber es war ja für einen guten Zweck und zudem würde ihm Herr Lauterbach die Ausgaben bestimmt ersetzen.

Franz setzte sich irgendwo in eine entfernte Ecke, Rademacher blieb auf Distanz, behielt ihn aber ständig im Auge, wobei er insgesamt zwei Bier trank, es ließ sich nicht vermeiden. Auch Franz trank während dieser Zeit zwei Glas Bier, dazu verspeiste er ein Essen. Alles nicht besonders geheimnisvoll. Er benahm sich ganz normal. Vielleicht aß er jeden Abend in dieser Gaststätte. Paul Rademacher war gar nicht wohl in seiner Haut. Es geschah rein gar nichts und möglicherweise würde er an diesem Abend überhaupt nicht auf seine Kosten kommen.

Gegen sieben verließ Franz Schäfer das Lokal und Rademacher hatte Schwierigkeiten beim Bezahlen, weil der Kellner anderes zu tun hatte, als zwei Bier zu kassieren. Schließlich legte er eine Mark fünfzig auf die blanke Tischplatte, wies die Frau am Buffet darauf hin und folgte Schäfer. Der schlenderte wieder durch die Straßen der Stadt, sein Schatten Paul Rademacher hinter ihm her. Allmählich schmerzten seine Füße, er wusste schon gar nicht mehr, worauf er eigentlich achtgeben sollte. Da war nichts, absolut nichts.

Dann aber geschah endlich doch was. Er sah, wie Franz in eine Passage einbog und als Rademacher sie ebenfalls erreichte, stellte sich die Passage als Eingang zu einer Diskothek heraus. Musik dröhnte laut die Kellerstiege herauf, rotes Licht leuchtete grell und zuckend. Da kriegten ihn keine zehn Pferde hinunter. Auftrag hin oder her. Das konnte Herr Lauterbach von Paul Rademacher nicht verlangen, dass er sich zum Gespött der Leute machte, sich unters junge Volk mischte und seinen perversen Tänzen zusah.
Was aber tun? Er hatte ein Versprechen gegeben, das stand fest, andererseits führte das weit über seinen eigentlichen Auftrag hinaus. Wenn nämlich Franz Schäfer nicht in den nächsten Minuten wieder auftauchte, würde er möglicherweise die ganze Nacht hier verbringen müssen. Das war ihm nicht zuzumuten.
Schäfer war in diese Diskothek gegangen, das genügte doch wohl als Meldung. Zu Hause konnte er immer noch am abgedunkelten Fenster seines Werkraumes warten, bis der Junge zurückkäme oder auch nicht, jedenfalls würde er auf Wache ziehen wie früher einmal. Er würde ihm schon nicht entwischen. Er blieb deshalb noch ein paar Minuten und fuhr dann nach Hause, setzte sich in den Werkraum und beobachtete die Leute, die nach Hause kamen.
Franz kam gegen zwölf und Rademacher sah schon von weitem, als er die erste Laterne des Zugangsweges zur Haustür erreichte, dass der Junge geladen hatte. Er trug sein Jackett in der linken Hand und schlenkerte es um den Finger, torkelte den Fliesenweg entlang und hatte Schwierigkeiten beim Öffnen der Tür. Rademacher notierte die Uhrzeit, wie er sich auch die Namen der Gaststätte und der Diskothek mit den entsprechenden Uhrzeiten notiert hatte. Paul Rademacher war irgendeinem geheimnisvollen Fall auf der Spur.
Was hatte Franz Schäfer bloß ausgefressen, dass Herr Lauterbach so hinter ihm her war?

Auch am nächsten Tag lag Paul Rademacher wieder auf der Lauer und konnte feststellen, dass Franz nicht zur gewohnten Trainingszeit das Haus verließ, sogar den ganzen Vormittag nicht zum Vorschein kam und Rademacher schloss daraus, dass er seinen Rausch ausschlief.
Erst am späten Nachmittag verließ Franz das Haus und sofort war auch Paul Rademacher zur Stelle, um seiner Aufgabe nachzukommen. Wieder bestieg Franz an der Haltestelle den Bus und Rademacher fürchtete schon, es werde ihm so ergehen wie einen Tag zuvor, als er stundenlang durch die Stadt laufen und irgendwo ein Bier trinken musste. Aber am Barbarossaplatz wechselte Franz den Bus, Rademacher lief hinter ihm her. Diesmal ging es hinaus bis zu der Stelle, wo der Überlandbusbahnhof angelegt war und wo die Busse bereitstanden, um zu den Dörfern hinauszufahren.
Rademacher beobachtete, wie Franz unschlüssig die Haltestellen entlangging und zu den Schildern aufsah, die die Zielrichtung angaben. Endlich schien er die von ihm gesuchte Linie gefunden zu haben und Rademacher konnte dem Richtungsschild an der Vorderfront entnehmen, dass es der 64er war, der nach Grevenberg fuhr.
Was wollte er denn dort? Paul Rademacher konnte sich nicht vorstellen, was ein Junge von achtzehn mitten am Tag in Grevenberg wollte. Soviel er wusste, stammte der aus einer ganz anderen Gegend, dem Bergischen Land, von wo auch Herr Lauterbach kam. Vielleicht macht er einen Ausflug, dachte Paul Rademacher und überquerte die Straße, nachdem Franz den Bus bestiegen und im Inneren verschwunden war. Vielleicht genehmigte er sich einen netten Tag, das Wetter war gut, die Sonne schien heiß vom nachmittäglichen Septemberhimmel.
Paul Rademacher schwitzte in seinem Anzug. Der Schweiß rann ihm in Bächen von der Stirn und wenn er jetzt an die bevorstehende Fahrt dachte, womöglich noch in einem zu

dieser Tageszeit überfüllten Bus, wurde ihm übel. Aber er musste dem Jungen auf den Fersen bleiben, versprochen war versprochen und vielleicht war gerade diese Fahrt das alles Entscheidende, vielleicht käme hier endlich heraus, was mit dem Jungen los war, der nicht zum Training und auch nicht zur Arbeit ging.

Paul Rademacher hatte natürlich gestern in der Montagszeitung auch den Bericht über das Spiel der Borussia gegen Eintracht Frankfurt gelesen, das die Borussia zu Hause mit 2:3 verloren hatte. Da stand eine vernichtende Kritik über Franz Schäfer drin, fiel ihm ein. Der hatte in den letzten Minuten den Elfmeter verschuldet, der dann die Niederlage brachte. Der Kritiker war hart mit Schäfer und dem Verein ins Gericht gegangen und hatte gemeint, ein so junger und unerfahrener Spieler, der gerade aus der A-Jugend eines Landvereins gekommen sei, gehöre einfach noch nicht in eine Bundesligamannschaft, der gehöre ordentlich aufgebaut, der sei zwar ein Talent, aber ein zur Zeit noch ganz und gar unfertiges Talent. Er habe in diesem Spiel einfach alles verkehrt gemacht, was verkehrt zu machen war: den falschen Mann gedeckt, für das Sturmspiel nichts getan, sei den eigenen Mannschaftskameraden vor den Füßen herumgelaufen und alles in allem ein krasser Ausfall gewesen. Der Journalist verstand nicht, warum der junge Mann nicht wenigstens zur Pause ausgewechselt worden war, als längst feststand, dass er das Tempo nicht mithalten konnte.

Über eine ganze Zeitungsspalte hinweg war von Franz Schäfer die Rede gewesen. Ob diese Verfolgungsjagd etwa mit diesem verkorksten Spiel zusammenhing? Paul Rademacher wusste es nicht und bestieg nun auch den Bus, der mit Arbeitern gefüllt war, löste eine Fahrkarte und fand natürlich keinen Sitzplatz mehr. Aufstehen würden diese Leute sicher nicht vor ihm, dem Älteren. Sie kamen wahrscheinlich gerade von der Arbeit, aus den Fabriken und Werkstätten und Büros und er selbst ledig-

lich aus seinem Werkraum, wo er den ganzen Tag über gesessen und zum Fenster hinausgeblickt hatte. Aber das wollte doch gar nichts besagen.
Paul Rademacher konnte indes sehen, dass auch Franz Schäfer stehen musste und das wenigstens erfüllte ihn mit Genugtuung.
Der Bus war längst abgefahren. Die Leute wurden gehörig durchgeschüttelt, während der Bus die Stadtstraßen befuhr, in eine Stauung nach der anderen geriet, vor roten Ampeln halten und danach wieder anfahren musste, scharfe Kurven nahm, bis sie endlich die innere Stadt verließen und hinauskamen in eine fast ebene Landschaft mit abgeernteten Kornfeldern, mit Weiden und noch bestandenen Rübenäckern, wenig Wald, hier und da ein paar Bäume an den Straßenrändern: eine eintönige Landschaft, unterbrochen lediglich von den rotfleckigen Dächern eines Dorfes.
Es stieg dort niemand zu und mit jeder neuen Station wurde der Bus leerer. Franz Schäfer aber war immer noch da und Paul Rademacher, der sich bei der ersten Gelegenheit einen Sitzplatz erkämpft hatte, konnte ihn gut im Auge behalten. Er würde, wenn er aussteigen wollte, an ihm vorbei müssen. Diese Verfolgung war ja ein reines Kinderspiel. Er musste nur aufpassen, dass er nicht von Franz erkannt wurde. Dann nämlich würde sich der Junge wohl die Frage stellen, was denn der Hausmeister des Hauses, in dem er ein Apartment gemietet hatte, hier zu suchen haben mochte. Es schien ihm deshalb etwas zu gefährlich, mit Franz zusammen auszusteigen. Vielleicht genügte es schon, festzustellen, wo er ausstieg. Der Name des Dorfes sollte Herrn Lauterbach reichen.
Er blieb also sitzen, als Franz Schäfer in einem Dorf namens Reusrath den Bus verließ, fuhr eine Station weiter, stieg dort aus und suchte die Post auf. Es war inzwischen halb sechs geworden, die Post war noch geöffnet und Paul Rademacher konnte ein Telefongespräch anmelden, die Zelle betreten und

Hennes Lauterbachs Nummer wählen. Um diese Zeit musste der zu Hause sein.
»Lauterbach«, klang es aus der Muschel.
»Hier ist Rademacher, Paul Rademacher.«
»Ja, was gibt's?«
»Ich glaube, das Kaff hier heißt Norbisrath, jedenfalls liegt es auf der Strecke nach Grevenberg.«
»Und was machen Sie ausgerechnet da? Sagen Sie bloß, der Schäfer ist da gelandet?«
»Nein, das nicht, er ist ein Dorf früher ausgestiegen. In Reusrath. Ich bin dann weitergefahren, um keinen Verdacht zu erregen. Immerhin kennt er mich ja.«
»Ja, natürlich«, sagte Hennes Lauterbach; anscheinend dachte er nach. »Reusrath, sagten Sie?«
»Ja, ich hab's mir aufgeschrieben«, antwortete Paul Rademacher eifrig. »Was soll ich jetzt machen?« Er hörte Lauterbach Unverständliches murmeln.
»Entschuldigen Sie«, sagte Hennes Lauterbach, »aber ich kann mit dem Namen nicht viel anfangen, Herr Rademacher. Fahren Sie erst mal nach Hause und passen Sie auf, wann er zurückkommt. Und«, fügte er nach einer kurzen Pause hinzu, »ob er alleine ist.«
»Jawohl, Herr Lauterbach.« Er hängte ein, bezahlte am Schalter das Gespräch, verließ das Postgebäude und ging zur Bushaltestelle zurück, wo er sich endlich eine Zigarette anzünden konnte. Sein Hemd war durchgeschwitzt, aus seinen Achselhöhlen kroch ein unangenehmer Geruch, er fühlte sich gar nicht gut, ermattet und abgeschlafft. Solche Sachen waren wohl nichts mehr für ihn. Dann gefiel ihm die Herumschnüffelei im Haus doch besser, das war bei weitem nicht so anstrengend und brachte auch viel Interessanteres zutage als diese Verfolgungsfahrten, auf denen absolut auch gar nichts passierte. Das war alles viel zu normal.
Es dauerte eine volle Stunde, bis er einen Bus in die Stadt

bekam und bevor er in seinem Werkraum saß und sein Abendessen im Angesicht des hellen Rechtecks verzehrte, hinter dem grün der Rasen im Dämmerlicht schimmerte, war es halb neun. Aber er hatte vorgesorgt. Die Stunde Wartezeit an der Bushaltestelle in Norbisrath hatte er dazu benutzt, sich die Abfahrtszeiten des Busses zu notieren. Er wusste deshalb, wann ein Grevenberger Bus in der Stadt eintreffen würde. Der letzte fuhr schon um elf und war um 23.45 Uhr am Busbahnhof, Franz Schäfer müsste demnach spätestens um halb eins wieder zu Hause sein, wenn überhaupt. Da gab es zwar noch die Möglichkeit einer Taxifahrt, aber die traute er dem Jungen nicht zu. Was mochte der nur in einem Kaff namens Reusrath treiben? Der Name kam ihm irgendwie bekannt vor. Er erinnerte sich plötzlich, dass der FC Borussia vor Wochen ein Freundschaftsspiel gegen eine Mannschaft aus Reusrath ausgetragen hatte. Aber das war alles, was ihm dazu einfiel.
Franz Schäfer kam in dieser Nacht nicht nach Hause und Paul Rademacher ärgerte sich, dass er nichts Wesentliches notieren konnte; dass nichts geschehen war, was einen Anruf bei Herrn Lauterbach lohnte. Er konnte den nächsten Tag nicht schon wieder an seinem Werkraumfenster verbringen, er hatte ja auch noch anderes zu tun. Am Mittwoch kamen die Putzfrauen, die er einzuweisen hatte, die Mülltonnen mussten bereitgestellt werden, Handwerker kamen, mit denen gesprochen werden musste. Es gab so viel, das einen Hausmeister auf Trab hielt.
Seine Frau nörgelte herum, denn er hatte ihr versprochen, mit ihr in die Stadt zu fahren und Einkäufe zu machen. Erst am Nachmittag konnte er sich wieder um Franz Schäfer kümmern und er läutete bei ihm und wartete vor der Gegensprechanlage an der Haustür auf eine Antwort. Die kam nicht, also war Franz immer noch nicht zu Hause oder vielleicht auch schon wieder nach Reusrath unterwegs. Rademacher wusste es nicht und er war es nun langsam satt, sich ständig darum kümmern zu

müssen, was jemand tat oder nicht tat. Er war schließlich kein Detektivbüro.
Am folgenden Morgen versuchte er es trotzdem erneut, klingelte verschiedene Male und wartete auf den Rückruf durchs Haustelefon. Als auch diesmal nichts aus dem Lautsprecher herauskam, ließ er es dabei bewenden. Gegen Mittag kam ein Anruf von Herrn Lauterbach, der ihn nach weiteren Neuigkeiten fragte. Er konnte nicht damit aufwarten und so war das Gespräch schnell beendet.
Anscheinend verlief die ganze Sache im Sande und das war eigentlich schade. Lauterbach hätte ihm doch auch den Auftrag erteilen können, nach Reusrath zu fahren und dort Erkundigungen nach Franz Schäfer einzuholen. Da war bestimmt ein Mädchen im Spiel. Vielleicht war der Junge auch schon gar nicht mehr in diesem tristen Kaff. Paul Rademachers Fantasie, sonst seine Stärke, versagte vor diesem Problem. Er würde notgedrungen warten müssen, wie sich die Dinge entwickelten und sich wieder ganz seinen Hausmeisteraufgaben widmen. Das erschien ihm etwas wenig, gemessen an dem, was er eigentlich hätte leisten können. Schade, dass er damals nicht gleich zur Polizei gegangen war.

12

»Nichts von Franz gehört?« Robert Monschau blieb bei Hennes Lauterbach stehen, der gerade in seinen Wagen steigen wollte.
Hennes zuckte die Schultern und schloss die Wagentür auf. Sie kamen aus den Umkleidekabinen, das Donnerstagnachmittagstraining war eben zu Ende gegangen und sie strebten nach Hause.
»Ich hab da so 'ne Art schlechtes Gewissen«, Monschau lächelte. »Könnte doch sein, dass der Klub irgendwas in Erfahrung gebracht hat, ob er vielleicht wieder nach Hause ist. Wollte der Iwan nicht bei seinem Vater anrufen?«
»Weiß nicht.«
Monschau merkte, dass Hennes das Thema unangenehm war. Er reagierte etwas seltsam auf seine Fragen und es wollte ihm scheinen, als wisse Lauterbach mehr, als er hier zugeben wollte.
»Lass ihn doch machen, was er will«, fügte Lauterbach noch hinzu und bückte sich, um in den tiefliegenden Fahrersitz zu steigen. Aber Monschau hielt ihn am Arm. »Mir ist das wichtig, Hennes«, sagte er. »Ich war ja der einzige, mit dem er wenigstens ein bisschen Kontakt hatte. Ihr anderen habt ihn ganz schön hängenlassen. Auch du, obwohl du aus seiner Gegend stammst und ihn sogar hergeholt hast. Außerdem bist du der Mannschaftskapitän.«
»Du hast ihn genauso hängenlassen wie wir.« Lauterbach löste durch eine Bewegung seinen Arm aus Monschaus Griff. »Was das betrifft, brauchen wir uns also voreinander nicht zu verstecken. Im übrigen wird ihm wohl nichts passiert sein, sonst hätten wir ja was von ihm gehört.«

»Eben wegen dieser Samstag-Geschichte mach ich mir ja Vorwürfe.« Monschau wollte nicht lockerlassen, die Angelegenheit bedrückte ihn nun schon ein paar Tage und mit einem Menschen musste er darüber sprechen. »Ich hab da einen Fehler gemacht, hab ihn einfach sitzenlassen. Na schön, auch ich hatte mich geärgert über diesen blöden Elfer, den er uns eingebrockt hat. Und wir haben ihm die Meinung gegeigt, aber deshalb braucht man doch nicht wegzubleiben.«

»Er ist aber weggeblieben«, sagte Lauterbach.

»Das ist genau das, was mich daran so stutzig macht. Wart noch 'nen Moment, Hennes, lass uns doch mal drüber reden«, bat Monschau, denn Hennes machte abermals Anstalten, in seinen Wagen zu kriechen. »Ich möcht ihn gern finden. Zu Hause ist er also nicht, hast du gesagt.«

»Ich hab gar nichts gesagt.«

»Ja, hat sich denn keiner drum gekümmert, ob er nicht doch in seiner Bude hockt?«

»Es ist bei ihm angerufen worden und es hat sich keiner gemeldet. Soviel kann ich dir verraten. Außerdem gibt's da einen Hausmeister und der hat gesagt, er sei fortgegangen. Mehr weiß ich auch nicht. Bestimmt, Robert. Und nun lass mich endlich abhauen, hab auch noch was anderes zu tun, als mich um diesen Armleuchter von Schäfer zu kümmern.« Er bestieg nun endlich den Maserati, winkte Monschau noch einmal zu und schloss die Wagentür.

Robert Monschau sah zu, wie Hennes den Wagen aus der Parklücke herausbrachte und schließlich davonfuhr. Eine unangenehme Geschichte. Da hatte er den Kleinen, wie ihn die anderen alle nannten, unbeachtet in der Kabine stehenlassen und war in seinem Wagen davongebraust, obwohl es schon zwischen ihnen zur Tradition geworden war, dass er ihn nach dem Training oder nach einem Spiel mit in die Stadt zurücknahm. Und dann kam er am Montag nicht zum Training, am

Dienstag auch nicht und jetzt war Donnerstag und noch immer gab es keine Nachricht von ihm.
Robert Monschau hatte die Sache erst vor sich hergeschoben, einen Tag um den anderen, jetzt fing sie an, ihn nervös zu machen. Er konnte schon gar nichts anderes mehr denken. Als trage er die Schuld daran, dass Franz nichts von sich hören ließ. Einmal war er drauf und dran gewesen, zu ihm hinzufahren, ließ es dann aber doch. Der wird sich schon wieder melden, hatte er sich gesagt. Aber er hatte sich nicht gemeldet.
Ob sich denn der Klub nicht drum kümmerte? Wollschläger vielleicht? Da musste doch jemand sein, der sich verantwortlich fühlte für ein Mitglied der Mannschaft. Immerhin gehörte er mit zum Kader. Monschau wollte nicht begreifen, dass es niemanden geben sollte, der sich dafür zuständig fühlte. Aber er hatte ja auch bisher niemanden gefragt. Außer Hennes Lauterbach, den Mannschaftskapitän. Der hielt, so schien ihm, mit irgendwas hinterm Berge, als habe er ein Interesse daran, dass nichts über den Kleinen herauskäme.
Er sollte den Trainer fragen oder vielleicht einen vom Vorstand. Der saß jetzt oben im Klubheim noch auf einen Whisky zusammen, das wusste er, hatte immer was zu bereden. Am Samstag ging es nach Berlin, da mussten Flugtickets bestellt werden, Busse für die Fahrten zu den Flughäfen und so. Er wusste es nicht genau, das war auch nicht seine Sache. Aber der Franz, das war seine Sache. Da hatte er Mist gebaut.
Robert Monschau ging langsam zu seinem Wagen, der etwas weiter weg auf dem Parkplatz vor dem Klubhaus stand. Hennes Lauterbach hatte von einem Hausmeister gesprochen, der den Kleinen hatte weggehen sehen. Wenn dieser Hausmeister der letzte gewesen war, der Franz gesehen hatte, musste das eigentlich der Anknüpfungspunkt für eine weitere Suche sein. Dieser Gedanke gefiel ihm, weil er ihm endlich Gelegenheit für eine Aktion bot. Sein Schritt beschleunigte sich augenblicklich. Dann saß er in seinem Triumph und fuhr los. Der Verkehr auf

den innerstädtischen Straßen war um diese Zeit nicht mehr allzu stark und er brauchte nicht mehr als zwanzig Minuten bis zu dem Hochhaus in der Nordstadt, in dem Franz ein Apartment hatte.
Er parkte seinen Wagen in einer Nebenstraße und ging hinüber zum Hochhaus, das von einer Wiese und ein paar Ziersträuchern umgeben war und mit seiner Silhouette die Vorstadt beherrschte: ein gewaltiger Klotz mitten im kleinstädtischen Umfeld. Von seiner 10. Etage aus, wo Franz wohnen sollte, musste man aber einen guten Blick ins Land haben. Von innen würde alles anders aussehen.
Robert Monschau ging über den Plattenweg auf den Hauseingang zu. Es war sieben Uhr und noch sonnig und warm. Die etwas tiefer stehende Sonne schlug Funken in den angestrahlten Fenstern, die gesamte Fassade schien wie mit ungezählten Lichtern bestückt. Monschau stieg die Treppe zur Haustür hinauf und betrachtete die überdimensionale Klingelleiste, auf der irgendwo auch der Name »F. Schäfer« prangte.
Ob er erst einmal bei ihm läuten sollte? Vielleicht war er doch schon wieder in seiner Bude. Monschau klingelte und wartete, aber es rührte sich nichts. Unterdessen hatte er auf einem Schild auch den Namen Rademacher ausgemacht, der mit dem Zusatz »Hausmeister« versehen war. Er legte seinen Finger auf den Klingelknopf und drückte. Drinnen hörte er die Glocke anschlagen und gleich darauf fuhr ihn die Stimme aus der Sprechanlage an: »Ja, bitte, was wünschen Sie?«
Monschau empfand es abermals als eine Zumutung, seine Stimme an jenen mit einer geriffelten Metallplatte verkleideten Apparat zu wenden, mit ihm zu reden wie mit einem Menschen. Das hatte er immer so empfunden und dennoch bediente auch er sich zu Hause dieser Apparatur. Es ließ sich einfach nicht umgehen. »Monschau«, sagte er, »ich bin Spieler bei der Borussia und ich komme wegen Franz Schäfer.«
»Moment«, krächzte es aus der Apparatur und kurz darauf

ertönte der Türsummer. Monschau drückte gegen die Tür und stand im Hausflur. Das ging ja ziemlich rasch, dachte Robert. Das war, als habe er eine Zauberformel benutzt, um die Tür zu öffnen. Und da erschien auf dem ersten Treppenabsatz auch schon eine in einen grauen Kittel gehüllte gedrungene Gestalt mit scharf gescheiteltem Haar, eine Zigarette in der Hand: das musste er sein, der Hausmeister Rademacher, der Franz als letzter gesehen hatte. Hausmeister sind von Beruf aus neugierig, müssen es vielleicht auch sein, um ihren Laden in Ordnung zu halten.

»Guten Abend«, sagte Robert und stieg die kurze Treppe bis zur Hochparterre hinauf.

»'n Abend«, knurrte der Mann zurück, verzog aber sein kantiges Gesicht zu einem Lächeln. »Von der Borussia sind Sie?«

»Ja«, antwortete Robert und nannte noch einmal seinen Namen.

»Hat Sie der Herr Lauterbach geschickt?«

Robert wurde hellhörig, da bestand irgendeine Verbindung, eine Verbindung zwischen Lauterbach und diesem Hausmeister und möglicherweise hatte sie auch etwas mit Franz zu tun. Also wollte er vorsichtig sein und sagte: »Er hat mir Ihren Namen genannt.«

»Rademacher«, sagte der Mann im grauen Kittel und reichte ihm die Hand, die er bisher in der Kitteltasche vergraben hatte. »Kommen Sie bitte rein.«

Sie betraten die Hausmeisterwohnung und Rademacher führte ihn in einen Raum, den er als »meinen Werkstattraum« vorstellte. Es standen eine Hobelbank und ein Schraubstock darin herum, an den Wänden hingen Werkzeugkästen. Vor dem Fenster bemerkte Robert einen langen Tisch, davor einen Stuhl.

»Bitte«, sagte der Hausmeister und deutete auf den Stuhl. Robert setzte sich. Rademacher nahm auf dem Tisch Platz. Sein Lächeln war jetzt intensiver. Er führte die Zigarette zu

seinem Mund und ließ sie dort, wo sie qualmend zwischen seinen Lippen hängengeblieben war. Seine beiden Hände legte er auf die Tischplatte, als wollte er sich von der Platte abheben.
»Wollen Sie ihn holen?«, fragte er unvermittelt. Für einen Augenblick war Robert sprachlos, zuviel ging plötzlich in seinem Kopf herum, denn damit hatte er nicht gerechnet. Er spürte, dass da irgendetwas ablief, das Franz Schäfer betraf und woran dieser Hausmeister beteiligt war. Jetzt galt es, sich rasch an dem möglichen Komplott zu beteiligen, ehe seine Ahnungslosigkeit auffiel.
»Ja, natürlich«, sagte er. »So schnell wie möglich.«
»Wissen Sie«, sagte Rademacher und kniff ein Auge vor dem aufsteigenden Zigarettenrauch zu, »ich hab mich wirklich gewundert, dass ihr euch so lange Zeit gelassen habt. Den hätt ich sofort da rausgeholt.«
»Es gibt da gewisse Dinge, wissen Sie«, antwortete Robert und schlug die Beine übereinander, eine Geste, mit der er seine Verlegenheit verdecken wollte.
»Verstehe«, sagte Rademacher. »Aber jetzt ist es ja soweit, wie ich sehe. Soll ich mitkommen?« Er hüpfte von der Tischplatte herunter und drückte fast gleichzeitig die Zigarette in einem Metallbehälter aus.
»Nicht nötig«, antwortete Robert und stand auf. »Ich habe meinen Wagen dabei und brauche eigentlich nur die Adresse.«
Rademacher stutzte. »Hat Herr Lauterbach sie Ihnen denn nicht mitgegeben?«
»Wie gesagt«, Robert fasste sich sofort, »er nannte mir lediglich Ihren Namen.«
Der Hausmeister lächelte und zwinkerte mit einem Auge. »Der will wohl mit der Sache nichts zu tun haben, was?« Er lachte laut. »Kann ich auch verstehen, der hat ja Rücksichten zu nehmen.«
»So ist es.« Robert wurde es in der Nähe dieses Menschen, der ihm ständig seine Vertraulichkeit anbot, unbehaglich zumute.

Der soll ihm jetzt bald die Adresse geben, damit er sich auf den Weg machen könnte und wenn er bis in dieses komische Kaff führe, aus dem Franz stammte. Robert rechnete mit allem und er war bereit, diesen einmal eingeschlagenen Weg zu Ende zu bringen. Er würde Franz herausholen, egal wo. »Wenn Sie mir jetzt bitte die Adresse geben wollen?«

»Reusrath«, sagte der Mann.

Robert verstand nicht. »Wie bitte?« Der Name kam ihm bekannt vor. »Reusrath«, wiederholte Rademacher, »irgend so ein Nest auf dem Weg nach Grevenberg.«

Jetzt fiel Robert ein, woher er den Namen kannte. Ein Fußballspiel kurz nach der Sommerpause, TuS Reusrath oder so ähnlich, ein Spiel zur Imagepflege, ein Werbefeldzug auf dem platten Land zugunsten der ruhmreichen Borussia, damit das platte Land seine Leute in die Arena der Profis schickte und dort die Kassen füllte. Und schlaglichtartig fiel ihm die Szene vor der Gaststätte ein: Franz Schäfer und ein Mädchen, das wahrscheinlich aus diesem Dorf war und mit der dort neben seinem Wagen herumalberte und schäkerte und weswegen er, Robert, ihn auf der Rückfahrt zurechtgewiesen hatte. Aber das war doch gar nicht möglich! Der war ja übergeschnappt, der Junge!

»Ich kenne es«, hatte Robert längst auf Rademachers Erläuterungen geantwortet. »Ich werde mich zurechtfinden. Besten Dank auch.« Er gab dem Mann die Hand. »Und Sie haben das rausgekriegt?« Robert schoss einen Pfeil aufs Geratewohl ab, aber der Mann nickte, der Stolz über seine Leistung stand ihm im Gesicht geschrieben. »Alle Achtung.«

»Na, ja«, Rademacher winkte in aufgedonnerter Bescheidenheit ab. »War gar nicht so schwer, das lernt man in unserem Beruf.«

»Was?«, fragte Robert noch.

»Auf andere Leute Acht geben, wissen Sie.«

»Natürlich.« Robert wandte sich ab. »Nochmals besten Dank. Sie haben uns sehr geholfen.«

»Das hoffe ich.« Der Mann lachte laut und ging hinter Robert her, der sich in Bewegung gesetzt hatte.
Vielleicht, dachte Robert, verlangt er jetzt eine Art Honorar, ein Erfolgshonorar und hält gleich die Hand auf, wenn du seine Wohnung verlässt. Ihm machte die ganze Geschichte schon sehr viel mehr Spaß. Er kam sich fast wie ein Eingeweihter vor und es war eigentlich ganz leicht, sich in diesem Spiel zurechtzufinden. Nur war ihm immer noch nicht klar, warum das alles so ablief. Was hatte Lauterbach damit zu tun? Warum war dieser Hausmeister überhaupt eingeschaltet? Warum tat der Klub nichts? Fragen über Fragen, die ihn beschäftigten, als er schon das Haus verlassen hatte und auf dem Weg zu seinem Wagen war.
Er würde natürlich Helga, seine Frau, anrufen müssen, dass er spät nach Hause komme. Er musste das erst in Ordnung bringen. Er sah eine Telefonzelle und rief von dort aus zu Hause an, sagte, auf wessen Spur er war und dass er in eine Geschichte hineingeraten sei, die noch nicht zu erkennen gebe, was sich dahinter verstecke.
Helga hatte wieder einmal Verständnis. Ein Glück, dass er an sie geraten war. Stewardess war sie gewesen und er hatte sie auf dem Flug von Düsseldorf nach den Karibischen Inseln kennengelernt, wo die Germania, sein alter Verein, eine Tournee während der Sommerpause absolvierte: einmal ein Geschenk des Vereins an die Mannschaft, zum anderen eine gute Einnahmequelle für den Klub. Die schönste Reise seines Lebens! Helga war zurückgeflogen, hatte um Urlaub gebeten und war ihm per Flugzeug nachgeeilt, erwischte ihn auf Martinique und es wurde ihre vorweggenommene Hochzeitsreise. Jetzt waren sie seit etwa einem Jahr verheiratet. Robert Monschau war glücklich. Seine Ehe war immer noch ein Abenteuer.
Jetzt jedoch war er zu einem Abenteuerer ganz anderer Art unterwegs. In Reusrath also trieb sich Franz herum, darauf wäre er natürlich nie gekommen. Wie denn auch? Die Schäke-

rei mit dem Mädchen damals nach ihrem Spiel war ja gar nicht ernst zu nehmen gewesen, auch wenn die Kleine versprochen hatte, Franz zu besuchen. Franz hatte auch nie über sie gesprochen, wenn sie zusammen waren und sie waren bis zum letzten Samstag oft zusammen gewesen. Dass er ihm dann nach dem Frankfurter Spiel die kalte Schulter zeigte, war nichts anderes als Enttäuschung über das verlorene Spiel gewesen, nicht so sehr wegen der Prämie. Franz sollte daraus seine Lehren ziehen.

Und dann zog er sie auf eine ganz andere Weise, als Robert je gedacht hätte. Fährt nach Reusrath, nicht etwa nach Hause zu seinen Eltern oder dem Mädchen, das er dort einmal gehabt hatte, wie Robert wusste. Da musste doch etwas geschehen sein! Das konnte doch nicht nur von den Reaktionen nach dem letzten Spiel herrühren. Natürlich war so etwas nicht so einfach abzuschütteln für einen jungen Spieler. Aber deshalb wirft man doch nicht gleich den ganzen Beruf fort. Robert wurde die Angelegenheit immer unverständlicher.

Er fuhr über die abendliche, kaum befahrene Landstraße in Richtung Grevenberg. Langsam setzte die Dämmerung ein, die Sonne ging hinter den schwach gezeichneten Hügeln im Westen unter. Die Landschaft wirkte beruhigend. Das würde er alles wieder deichseln, das ließ sich bestimmt mit ein paar guten Worten wieder ins rechte Lot bringen. Robert wollte nur der Hausmeister nicht in die Geschichte passen. Was hatte der dort zu suchen? Bald würde er es von Franz erfahren und die Lösung wäre gewiss höchst einfach.

Vor ihm tauchten die Dächer von Reusrath auf, rotfunkelnd im Abendlicht, der obligate Kirchturm mit glitzerndem Hahn auf der Spitze. Hier in der Gegend war ein Dorf wie das andere. Er bog von der Bundesstraße ab und hatte nach wenigen hundert Metern die ersten Häuser erreicht, Fachwerkhäuser, Höfe und Stallungen, ein kleines Lebensmittelgeschäft, ein paar Katzen und Hunde, ein alter pfeiferauchender Mann mit

Schirmmütze auf dem Stuhl vor dem Haus: Hierhin hatte sich Franz Schäfer zurückgezogen, ein Kicker des FC Borussia? Robert schüttelte den Kopf und lächelte. Kaum zu glauben. Es musste ein Missverständnis vorliegen. Und jetzt war er, Robert Monschau, hier, um es aufzuklären.
Er hatte sich vorgenommen, gleich zur Gaststätte zu fahren, wo die Mannschaft seinerzeit zusammengesessen hatte. Das wäre die Schaltstation für weitere Nachforschungen, die Nachrichtenbörse für ein Dorf dieser Größe, wo das Auftauchen eines Borussen-Spielers entsprechenden Gesprächsstoff abgäbe. Der Wirt würde über Franz Bescheid wissen. Robert Monschau stellte seinen Wagen fast an derselben Stelle ab wie damals, neben der riesigen Linde. Ein paar andere Fahrzeuge parkten schon dort und in der Wirtschaft war Betrieb. Eigenartigerweise verspürte er ein seltsames Herzklopfen, das sich in seinem Hals eingenistet zu haben schien, als er auf den Wirtshauseingang zuschritt. Plötzlich war ihm die ganze Aktion höchst unangenehm.
Wie verhielt man sich eigentlich in einer solchen Schänke? Er stammt aus einer bürgerlichen Städterfamilie, sein Vater war Beamter bei der Stadtverwaltung in Norddeutschland, er hatte stets in sogenannten geordneten Verhältnissen gelebt. Ein Dorf in Deutschland hatte für Robert immer noch etwas Exotisches an sich. Er dachte an Wirtshausraufereien, an Kirmes und derbe Späße, an dralle Mädchen und lederhosige Burschen, er dachte an das Dorfklischee aus den entsprechenden Filmen.
Aber ein junger Mann, er war jetzt vierundzwanzig, der sich in der Karibik auskennt, würde sich selbstverständlich auch auf einem deutschen Dorf zurechtfinden. Er gab sich innerlich einen Schubs und betrat die Schänke.
Franz Schäfer saß in einer hinteren Ecke und verzehrte anscheinend gerade sein Abendbrot, ein Glas Bier vor sich. Robert hatte ihn sofort entdeckt und er steuerte direkt auf ihn los.

»'n Abend, Franz«, sagte er, als er vor ihm stand. Der schaute wie ertappt auf und etwas wie Freude zeigte sich auf seinem Gesicht.
»Mensch, Robert«, sagte Franz, »wo kommst du denn her?«
»Etwas ähnliches wollte ich dich auch fragen«, antwortete Robert und setzt sich zu ihm.
»Biste zufällig hier, oder ist es wegen mir?« Franz kaute unterdessen weiter, nahm einen Schluck Bier.
»Zufällig ist hier wohl überhaupt nichts mehr. Wollte nach dir sehen.«
»Ich kapier's einfach nicht, weißt du«, Franz zuckte die Schultern. »Du kommst da zur Tür rein, setzt dich zu mir. Woher weißte denn, dass ich hier bin?«
»Du wirst es sowieso nicht raten«, antwortete Robert. »Dein Hausmeister hat mich hergeschickt. Der kannte genau deine neue Adresse.«
»Der Rademacher?« Franz legte Messer und Gabel beiseite und staunte ihn an. »Mensch, Robert, was ist denn da los bei euch?«
»Das wollte ich eigentlich von dir erfahren.«
»Aber ehrlich, ich komm da nicht mehr mit. Du hier, der Rademacher, wie passt denn das alles zusammen? Ist da einer hinter mir hergewesen?«
»Sieht so aus. Und wenn du mich fragst, muss das mit unserem Freund Lauterbach zusammenhängen. Was war denn los?«
Franz schaute betreten zur Seite. »Scheiße«, sagte er.
»Mal 'n bisschen klarer.«
»Ich hab da Scheiße gebaut, Robert.«
»Dass du nicht zum Training gekommen bist?«
»Bin ja dagewesen«, sagte Franz leise, es war kaum zu verstehen.
»Nochmal«, forderte Robert ihn auf. Er glaubte, ihn tatsächlich nicht richtig verstanden zu haben. Es war sehr viel Krach um sie her.

»Ich bin beim Training gewesen.« Franz sah nun wieder auf.
»Du bist . . .«
»Ja! Hatte mich zwar etwas verspätet, aber ich war dort. Kannst es mir glauben. Der Hennes war auch da, der müsste doch eigentlich alles wissen. Ich weiß gar nicht, warum du mich das alles fragst.« Robert hörte aus seinen Worten den Trotz heraus; jenen Trotz, der ihn wahrscheinlich auch in dieses Dorf geführt hatte, oder auch Hilflosigkeit.
»Ich weiß von nichts«, sagte Robert und blieb ganz ruhig. »Wir sind aneinander geraten«, fuhr Franz fort. »Ein Wort gab das andere, du kennst das doch. Und dann hab ich ihm eine gescheuert.«
Robert hielt den Atem an. »Doch nicht dem Hennes?«, fragte er dann.
»Genau dem. Ich wusste mir nicht mehr anders zu helfen. Er hat mich bis aufs Blut gereizt, dieser krumme Hund. Holt mich her, Robert, verstehst du, holt mich her, nur um mich für seine Zwecke zu benutzen. Ich sollte ja gar nicht spielen. Das hatten die gar nicht vor, aber dann passte ich plötzlich dem Iwan genau in den Kram. Ich hab in den letzten beiden Tagen Zeit genug gehabt, um mir alles noch einmal richtig durch den Kopf gehen zu lassen. Und dann hätt ich's beinah doch noch geschafft und dann hab ich durchgedreht.
Na schön, es ist nun mal passiert. Aber wie ihr alle, du auch, Robert, du auch, verdammt noch mal, wie ihr mir alle die kalte Schulter gezeigt habt, wie ihr mir so richtig mal gezeigt habt, was 'ne Harke ist, da hab ich einfach nicht mehr weiter gewusst. Und jetzt sitz ich hier in diesem Scheißkaff!«
Robert merkte, dass man in der Schänke aufmerksam auf sie wurde, Köpfe wandten sich nach ihnen um, auch war der Gesprächslärm merklich abgeebbt. Es schien, als höre man sehr genau zu, was an ihrem Tisch gesprochen wurde. Das war Robert unangenehm. Er legte begütigend eine Hand auf Franz Unterarm.

»Willst du nicht erst mal zu Ende essen?«, fragte er und es sollte beruhigend klingen.
»Dieser Fraß kotzt mich sowieso schon an!«, rief Franz. »Was treib ich eigentlich hier? Kannst du mir das mal verraten, Robert? Warum häng ich hier in Reusrath? Warum bin ich nicht nach Hause gefahren, warum hab ich in der Stadt oder im Klub nicht 'nen Freund oder irgendeinen Menschen, mit dem ich hätte reden können? Warum fiel mir Reusrath ein? Das ist doch nicht in Ordnung, Robert.«
Gleich fängt er an zu heulen, dachte Robert. Nur das nicht. Er war doch hier, um ihm zu helfen, er war doch guten Willens. Warum machte Franz ihm eine solche Szene?
»Deshalb bin ich ja hier«, sagte er schnell, damit Franz endlich aufhörte zu schreien. »Ich seh ja meinen Fehler ein. Natürlich hätte ich auf dich warten sollen. Aber ich nehme deine Worte von eben, Franz: es ist nun mal passiert. Drum sitz ich jetzt hier und red mit dir. Und dass das mit dem Lauterbach geschehen ist, das wusst ich nicht. Kein Wort hat er davon verlauten lassen. Der will doch, dass du dich verkriechst, dass diese Sache nicht herauskommt. Dann hängt er nämlich mit drin. Schlägereien unter Spielern, da greift der Klub hart durch. Das ist ja auch wirklich das Letzte. Aber danach einfach abhauen, sich nicht mehr blicken lassen, nichts von sich hören lassen, auch das ist nicht in Ordnung, Franz.«
»Du hast gut reden.«
Wenigstens schreit er nicht mehr so, dachte Robert.
»Du hast wenigstens noch deine Helga zu Hause. Ich hab keinen, das ist der Unterschied. Aber ich wollte mit jemand reden und da fiel mir diese Renate aus Reusrath ein und da bin ich hergefahren.« Mit entwaffnender Offenheit schaute er Robert an.
»Und?«, fragte der.
»War natürlich vollkommener Blödsinn«, Franz winkte ab. »Siehste ja. Die wollte doch nur den Borussen-Profi mit 'nem

Triumph vor der Tür. Aber nicht so einen blutigen Amateur wie mich, den sie gerade rausgeschmissen hatten. Der noch nicht mal 'ne Lehre hat, der eigentlich überhaupt nix ist.«
Da ihr Gespräch leiser geworden war, hatte sich das Interesse der anderen Wirtshausbesucher wieder den eigenen Problemen zugewandt. Wahrscheinlich kannten sie Franz und seinen Fall, belächelten ihn womöglich, dass da jemand gekommen war, der sich an der Bluse eines Mädchens aus ihrem Dorf ausweinen wollte.
»Und warum bist du nicht einfach zurückgefahren?«, fragte Robert.
»Weiß auch nicht«, Franz schüttelte den Kopf. »Konnte nicht, glaub ich. Mir fiel nichts mehr ein, als dazusitzen und in die Wolken zu starren und drauf zu warten, dass Renate aus ihrer Fabrik kommt. Aber sie hat mich heute sitzenlassen, ist gar nicht im Bus gewesen. War sowieso alles aus seit gestern.«
»Was Besonderes?«
»Nee, eigentlich nicht. Wir hatten uns bloß nix mehr zu sagen. Es war wohl nie was Ernsthaftes gewesen, das war's wohl.«
»Dann komm doch mit«, sagte Robert.
Franz sah ihn scharf an. »Jetzt?«
»Ja. Mein Wagen steht draußen. Bezahl und komm mit. Zu Hause können wir dann über alles reden.«
Wieder huschte eine Art Freudenschimmer über das Gesicht des Jungen. »Meinst du wirklich?« Er stand schon auf. Robert hatte genickt. »Hol nur eben meine Sachen vom Zimmer. Ist nicht viel.« Und er rannte davon. Da bist du ja gerade zur rechten Zeit gekommen, dachte Robert und lehnte sich aufatmend auf seinem Stuhl zurück.

13

Robert stoppte seinen Wagen vor dem Plattenweg des Hochhauses und sagte: »Dann also bis morgen zum Essen, ein Uhr«, und Franz schwang seine Beine nach draußen. »Nochmals vielen Dank, Robert«, sie gaben sich die Hand. Es war fast zehn Uhr, die Laternen entlang des Plattenweges brannten und zeichneten verschlungene Muster auf den Rasen und die Kunststeinplatten. »Tschüs.« Die Tür knallte zu und Franz sah den Schlussleuchten des Wagens nach, bis sie an der nächsten Straßenbiegung verschwanden.
Gott sei Dank, dachte er, und: Mensch, wenn der nicht gekommen wär heut Abend! Er kam sich gerettet und befreit vor, ohne zu wissen, wovon und wovor. So ein Schwachsinn! Er schritt den Weg entlang, in der Hand hatte er die Plastiktüte mit seinen wenigen Sachen, Seife und Zahnputzzeug, etwas Unterwäsche, das er sich in dem Reusrather Kramladen gekauft hatte. Zu Hause, dachte er, er war wieder zu Hause. Er holte den Schlüssel aus der Hosentasche und schloss die Haustür auf, schaltete die Flurbeleuchtung ein. Im selben Moment hörte er eine Wohnungstür im Hochparterre sich öffnen und dann stand dort, ein paar Stufen über ihm, der Hausmeister Rademacher. Er lächelte und kam zu ihm herunter.
»'n Abend, Herr Schäfer«, grüßte er freundlich. Franz mochte ihn nicht sonderlich. Der nahm sich zu wichtig, benahm sich immer so, als verlange er nach einem Lob, fordere einen Gruß oder eine andere Aufmerksamkeit. Man grüßte sich, mehr war zwischen ihnen nicht gewesen. Aber von Robert hatte er gehört, dass Rademacher auch ein Teil seiner Geschichte war, und er wollte deshalb vorsichtig sein.

»'n Abend, Herr Rademacher«, antwortete er.
»Kann's sein, dass wir uns lange nicht mehr gesehen haben?«
Rademacher hatte die Hände in die Hosentaschen unter seinem Kittel gesteckt. Anscheinend wollte er ihn aushorchen, vielleicht hatte er einen entsprechenden Auftrag. Robert hatte nichts Genaues darüber gewusst, aber das, was er ihm erzählt hatte, reichte schon.
»Stimmt«, sagte er. Eigentlich wollte er in seinen Briefkasten sehen, denn er meinte, durchs Sichtfenster einen Brief entdeckt zu haben; aber Rademacher ließ ihn gar nicht dazu kommen.
»Urlaub?«, fragte Rademacher in seiner betont leutseligen Art.
»Nee, nicht dass ich wüsste. Hatte außerhalb zu tun.« Franz wandte sich um und steckte den Briefkastenschlüssel ins Schloss.
»Übrigens, Herr Schäfer, Sie behalten doch Ihr Apartment?«
Diese Frage ließ ihn nun doch in seiner Bewegung innehalten und sich dem Hausmeister wieder zuwenden. »Wie kommen Sie denn darauf? Hat jemand danach gefragt?« »Ach wissen Sie, nicht direkt«, Rademacher nahm eine Hand aus der Tasche und fuchtelte damit seltsame Zeichen in die Luft. »Aber es waren Leute von der Borussia hier. Die wollten wissen, ob Sie noch hier wohnen oder ob Sie etwa schon ausgezogen sind. Wenn die wiederkommen, was soll ich denen sagen?«
Das war ja etwas ganz Neues. Franz war der Schreck in die Glieder gefahren. Was sollte denn das bedeuten? Was hatte man mit ihm vor? Er fand sich in dieser Geschichte schon nicht mehr zurecht. Aber er traute Lauterbach und dem Klub bald alles zu. Die wollten ihn wohl fertigmachen.
»War Lauterbach dabei?«, fragte er.
Rademacher wiegte den Kopf, sein Mund zeigte immer noch dieses verdammt süße Lächeln, mit dem Franz nichts anzufangen vermochte. Er konnte es einfach nicht deuten. »Ich glaube schon«, sagte der Hausmeister. »Sie wissen ja, dass ihm zu einem gewissen Teil dieses Haus gehört.«

»Ja, ich weiß«, sagte Franz und senkte den Kopf. Diese seltsamen Querverbindungen, das war es ja, was ihn so sehr verwirrte. Man spürte förmlich das Netz, in das man geraten war, ohne eine Ahnung davon zu haben. Da war das Kaufhaus, dessen Direktor kannte den Klub-Präsidenten und sorgte für eine Lehrstelle; da war ein Apartmenthaus, das gehörte zu einem Teil dem Mannschaftskapitän, der einem den Platz im Kader verschaffte oder auch nicht. Immer wieder war Wohlverhalten gefordert, ständig befand man sich unter Aufsicht und wenn es die Aufsicht eines Hausmeisters war. Franz war nicht »zu Hause«, wie er eben noch angenommen hatte; er kam sich seltsam fremd vor.

»Wenn sie wiederkommen«, sagte er, »sagen Sie ihnen, ich gebe Bescheid.«

»Na schön, wie Sie wollen«, antwortete der Hausmeister. »Übrigens wissen die bei der Borussia ziemlich genau, dass Sie dort in Reusrath rumsitzen.«

Franz war zu müde, um weiter aufzubegehren. Er hörte die Schadenfreude des Mannes aus seinen Worten heraus. Ihm war es gleichgültig, aber er sollte ihn endlich in Ruhe lassen. »Ich weiß«, sagte er.

»Denen entgeht nichts, kann ich Ihnen sagen.« Rademacher war nun nicht mehr zu halten, der sprühte förmlich vor Eifer. »Man wird Sie sicher dort rausgeholt haben, kann ich mir denken. Da war jemand hier heute Abend.« »Lassen Sie mich endlich in Ruhe«, sagte Franz. Er drehte sich um und schloss den Briefkasten auf, holte den länglichen weißen Umschlag hervor, schloss wieder ab.

»Aber bitte«, sagte Rademacher und gab in gespielter Unterwürfigkeit den Weg vor ihm frei. »Ach, Sie haben Post bekommen?«, fragte er dann hinter ihm her, während Franz schon die Stufen zum Hochparterre hinaufschritt. »Vielleicht von Verein?«

Franz schaute auf den Absender. Tatsächlich, vom Klub.

Nahm das denn gar kein Ende mehr? Er trat auf den Lift zu und da die Kanzel gerade unten war, verschwand er, bevor der Hausmeister ihn weiter aufhalten konnte.
Dann stand er in dem Aufzug und merkte, dass seine Finger zitterten, denen er dabei zusah, wie sie den Brief aufrissen. Kleine Papierfetzen trudelten zu Boden, ehe er endlich das Blatt Papier mit dem grün weißen Wappen dem Umschlag entnehmen und es entfalten konnte. Er las: »Sehr geehrter Herr Schäfer! Sie werden gebeten sich Montag, 6. 9., 19 Uhr zu einem Gespräch mit dem engeren Präsidium des FC Borussia im Klubheim einzufinden. Hochachtungsvoll gez. Lippmann, nach Diktat verreist.« Es folgte die Unterschrift der Sekretärin. Da stand es also, kalt und in lakonischer Kürze. Er war nach Hause zurückgekehrt: Franz lachte auf. Sie kannten kein Pardon.
Der Aufzug hielt und er verließ die Kabine, schloss seine Wohnungstür auf und war wieder in seiner »Bude«, konnte die Plastiktüte absetzen, sich in einen Sessel werfen, nachdem er das Licht eingeschaltet hatte, und den Brief ein zweites und dann noch ein drittes Mal lesen. »Sie werden gebeten . . .« Als wenn es da noch etwas zu bitten gäbe! Hinbefohlen wurde er, zum Befehlsempfang kommandiert. Und nichts sagten die Zeilen darüber aus, was im Laufe weniger Tage mit ihm und zwischen ihm und dem Klub geschehen war.
Es war alles aus, er brauchte sich nicht länger mehr etwas vorzumachen. Roberts Rettungsversuch war für die Katz gewesen. Verlorene Liebesmüh. Franz legte den Brief auf den Tisch und schloss die Augen. Und dann sah er alles noch einmal, wie in einem Film: die Zeitungsberichte vom Sonntag, dann vom Montag, er sah sich selbst lustlos die Trainingstasche packen und er wusste genau, dass er zu spät zum Training erscheinen würde. Und schließlich Hennes Lauterbach. Sein Herz klopfte und er öffnete schnell die Augen. Das nahm ihn zu sehr mit.

Die stecken dich jetzt einfach in ihre Amateurmannschaft, dachte er. Nie! schrie es in ihm, nie kriegen die mich da rein! Dann hätte ich ja gleich zu Hause bleiben können, in Höhe, bei den Kameraden, den Freunden im Dorf. Er hätte Karin nicht verloren. Mein Gott, Karin, dachte er. Sie fehlte ihm plötzlich, er vermisste sie mehr denn je. Besonders nach seinem Reinfall mit Renate. Die war eine einzige Enttäuschung gewesen.
Statt eine Anzahlung auf einen Wagen zu leisten, wie er es vorgehabt hatte, hatte er seine sauer verdienten Prämien in wenigen Tagen in einer Dorfkneipe durchgebracht. Er musste tatsächlich bekloppt gewesen sein! Ausgegeben und durchgebracht mit einer Dorfschönen, die außer schnell abgemachten Sex nichts zu bieten hatte. Aber es hatte immerhin zwei volle Tage gedauert, ehe er das begriffen hatte, und dann noch einen Abend, um es Renate zu erklären. Sie verstand ja überhaupt nichts von dem, was ihm zugestoßen war. Ihr ging nur in den Kopf, dass er kein Fußballer des FC Borussia mehr war, dass er nie solch einen flotten Triumph besitzen würde, wie sie es sich möglicherweise erträumt hatte. Er war ja noch nicht einmal mit seiner Lehre fertig. In ihren Augen war er eine glatte Null.
»Was willste denn eigentlich noch hier?«, hatte sie ihn gefragt und auf ihrem Gummi herumgekaut, wie stets, wenn er mit ihr zusammen war.
Aus und zu Ende dieses Abenteuer, noch bevor Robert Monschau erschien und ihm die Flucht erleichterte. Seit sein Freund aufgekreuzt war, war es ihm so leicht und unkompliziert erschienen, die Dinge wieder ins rechte Lot zu rücken. Noch wäre nichts verloren. Und jetzt dieser Brief: »Sie werden gebeten . . .« Er griff nach dem Telefon, hob den Hörer ab und wählte Roberts Nummer. Etwas anderes fiel ihm nicht ein.
Es war die Stimme von Roberts Frau, die sich meldete, und Franz sagte sein Sprüchlein: »Hier Schäfer, 'n Abend Frau Monschau. Ist Robert da?«

»Ja, ich rufe ihn. Bis morgen dann, ich habe gehört, Sie sind zum Essen hier?«
»Ja, danke.«
Schließlich Roberts tiefe Stimme. »Na, was gibt's denn noch? Bin gerade zur Tür herein.«
»Ich hab 'nen Brief vom Klub gekriegt«, sagte er. Das Sprechen fiel ihm schwer; es war, als sitze ihm ein Kloß im Hals.
»Aha«, antwortete Robert. »Und was steht drin?«
»Dass ich am Montag zu 'ner Unterredung ins Klubhaus kommen soll.«
»Na bitte, es bewegt sich was.«
»Ja, aber ist das denn nichts Schlimmes? Mir ist gar nicht wohl dabei.«
»Ich sagte doch: es bewegt sich endlich was. Mach dir keine Gedanken, Franz. Morgen beim Essen können wir über alles reden. Hau dich jetzt erst mal hin und schlaf. Okay?«
»Du meinst, ich brauchte mich nicht drüber aufzuregen?«
»Ach was. Mach dir 'nen schönen Abend. Tschüs bis morgen.«
»Tschüs.« Franz hängte ein.
Der hatte gut reden, dem geschah ja nichts. Der saß zu Hause bei seiner Frau, dieser hochbeinigen Stewardess. Oder war sie Mannequin gewesen? Eine tolle Frau, Helga hieß sie. Franz hatte sie natürlich kennengelernt, als er die paarmal bei Robert zu Hause war. Sie war ihm immer sehr reserviert vorgekommen, wie etwas Unerreichbares, ein Wesen von einem anderen Stern, schön und unwirklich. Vielleicht bildete er sich das aber auch nur ein. Er hatte kaum gewagt, sie anzusprechen. Doch irgend etwas an diesem Bild stimmte nicht. Schließlich hatte Robert sie auch erreicht, Robert Monschau, der Fußball-Profi. Diesen Status strebte er ja auch an. Aber er fühlte sich weiter denn je davon entfernt.
Am nächsten Tag, dem Freitag, machte er sich beizeiten fertig, um pünktlich um eins bei den Monschaus zu sein. Sie wohnten draußen in Epsheim und er würde den Bus benutzen müssen.

Er zog das Jackett über und verließ seine Bude. Unten traf er wieder den Hausmeister, den er nun auch an dem Komplott beteiligt wusste. Er nickte ihm kurz zu. Aber wieder ließ Rademacher ihn nicht ohne ein Wort an sich vorbei. »Wohin geht's denn diesmal?«, wollte er wissen.
»Ich schick 'ne Karte«, antwortete Franz. Allmählich fiel ihm der Mann mit seiner Fragerei auf den Wecker.
»Nanana, nicht so schnippisch, junger Mann«, Rademacher machte ein beleidigtes Gesicht, »es hat schon mancher von seinem hohen Ross runtersteigen müssen.«
Aber Franz war schon an ihm vorbei, lief den Plattenweg entlang und kam in die Straße, von wo der Bus in die Stadt abfuhr. Der Bus war noch nicht da, er musste warten. Als der Wagen schließlich eintraf, stieg Franz zu, löste eine Karte und ging nach hinten. Er drehte sich um und sah im selben Moment, wie sich Rademacher auf einen der vorderen Plätze setzte. Er trug sogar noch seinen Hausmeisterkittel und schien ganz außer Atem.
Wo will denn der auf einmal so schnell hin? dachte Franz. Aber er wollte mit dem Mann nichts zu tun haben und wandte sich ab, sah sich lieber die vorbeifliegenden Häuserzeilen an. Mitten in der Stadt stieg er an der Mitteltür aus, um Rademacher nicht wieder zu begegnen und wartete auf der Haltestelleninsel auf den Anschlussbus, der ihn nach Epsheim fahren sollte.
Er schlenderte eine Weile auf der Verkehrsinsel auf und ab; er spürte eine seltsame Unruhe in sich, als könne er es nicht erwarten, mit Robert zu sprechen.
Dann sah er plötzlich Rademacher wieder. Der Hausmeister hatte sich hinter das Schild mit den Abfahrtszeiten gestellt und schien es genau zu studieren, starrte jedenfalls darauf, als dürfe ihm auch nicht das feinste Stäubchen entgehen. Franz kam das sehr sonderbar vor und er beschloss etwas mehr auf diesen Mann im grauen Hausmeisterkittel zu achten. Ob er vielleicht zufällig denselben Weg hatte wie er?

Der Bus nach Epsheim kam und Franz stieg ein, setzte sich nun aber, weil die Fahrt länger dauern würde. Gerade als der Bus anfahren wollte, sprang auch Rademacher ins Innere, machte sich ganz klein und hockte sich auf den Platz neben dem Busfahrer, wo man ihn kaum noch sehen konnte. Versteckte der sich am Ende gar vor ihm?
Wenn das stimmte, dann war der Mann hinter ihm her, dann verfolgte er ihn. So wie er ihn wahrscheinlich schon einmal verfolgt hatte. Beschatten nannte man so was, fiel ihm ein. Das Wort gefiel ihm, es belustigte ihn. Es hatte so etwas Kriminelles, Geheimnisvolles an sich. Das erinnerte an dunkle Gassen und Laternenlicht und er dachte an die vielen Krimis im Fernsehen, die er schon gesehen und die ihn meist gelangweilt hatten. Da beschattete auch immer einer den anderen. Rademacher als Detektiv. Vielleicht im Dienst des ruhmreichen FC Borussia.
So ein verdammter Schnüffler! Wenn das tatsächlich der Fall war, dann würde er es ihm zeigen, dann war Angriff die beste Verteidigung. Wie verhielt sich ein Beschatteter in den Krimis, die er gesehen hatte? Er sprang vom fahrenden Bus und rannte in ein Kino, nicht um dort einen Film zu sehen, sonder um aus einem Seitenausgang wieder zu verschwinden. Kaufhäuser eigneten sich auch sehr gut dafür. Bei Rademacher aber wäre ein solcher Aufwand wohl nicht notwendig. Da würde es genügen, den Bus klammheimlich zu verlassen.
Franz bewegte sich langsam auf den hinteren Ausstieg zu und an der nächsten Haltestelle, als die Türen gerade geschlossen werden sollte, schlüpfte er hinaus und sah schmunzelnd dem weiterfahrenden Bus nach. Und er glaubte sogar, das erschreckte Gesicht des Hausmeisters hinter den Scheiben erkannt zu haben. Er bestieg eine Straßenbahn und fuhr ein paar Stationen, bis er wieder Anschluss an den Epsheimer Bus fand.
Kurz vor ein Uhr war er draußen, lief ein paar Straßenzüge

zwischen villenähnlichen Einzelhäusern einher, bis er bei Monschaus Haus anlangte und Robert wieder gegenüberstand. Der klopfte ihm auf die Schulter und sagte zu seiner Frau: »Hier haben wir unseren Ausreißer.« Da lächelte auch Helga ihm zu, sie schien gar nicht so unnahbar wie sonst.

»Darauf müssen wir erst einmal anstoßen«, sagte sie und sie gingen zusammen in das riesige Wohnzimmer, das fast vollständig von einem offenen Kamin beherrscht wurde. Eine Sitzgarnitur aus Leder, ein Bärenfell an der Wand, ein paar altertümliche Flinten und Säbel. Es sah aus wie auf den Abbildungen in den Versandhaus-Katalogen, die seine Mutter zu Hause bezog. Ein großes Fenster ließ den Blick frei auf einen gepflegten Garten mit Büschen und Blumen und Franz genoss das Gefühl, hier wieder aufgenommen zu sein. So ähnlich sollte es später auch bei ihm einmal aussehen.

Robert kam mit ein paar Gläsern und einer Flasche und schenkte ein. »Auf den Ausreißer«, sagte er fröhlich. Sie hoben sich die Gläser entgegen und tranken. Es war ein Gemisch aus Vermouth und Wiliams Christ, das im Klub »VW« genannt wurde und ausgezeichnet schmeckte.

»Wie steht's mit dem Essen?«

»Es ist fertig, wir können hinübergehen.«

»Eben hat mich übrigens wieder dieser Hausmeister verfolgt«, sagte Franz und nahm noch einen Schluck. Sie gingen langsam zur Essecke hinüber, die Gläser in den Händen. Jetzt blieb Robert stehen.

»Ist doch nicht möglich!«

»Ich hab ihn im Bus sitzenlassen, bin ausgestiegen und mit dem nächsten weitergefahren.« Franz lachte in sich hinein, als er an das verdutzte Gesicht des Mannes dachte.

»Ja, hört das denn überhaupt nicht mehr auf!«, rief Robert aus und trank das Glas leer. »Komm, setz dich.« Sie nahmen an dem gedeckten Tisch Platz, während Helga die Schüsseln mit dem Essen herbeiholte. Bald waren sie alle mit dem Essen

beschäftigt. Franz schmeckte es ausgezeichnet, besonders nach der Reusrather Gasthauskost der letzten Tage.
»Prima, wie Sie das machen, Frau Monschau.«
»Ach was, Frau Monschau«, rief Robert dazwischen. »Helga wird wohl nichts dagegen haben, wenn du sie mit dem Vornamen anredest. Sie ist gar nicht so.«
»Wie bin ich denn?«, fragte sie lachend. »Aber ich hab natürlich überhaupt nichts dagegen. Darauf müssen wir aber wieder anstoßen, finde ich. Prost, Franz.« Sie hob ihr Rotweinglas.
»Prost, Helga.« Franz wurde rot. Das alles tat ihm wohl nach den Enttäuschungen, die er während der letzten Woche hatte erleben müssen. Das ging ihm wie Honig hinunter und er wünschte sich, dass dieser Zustand sich nie ändern würde. Aber dann erinnerte ihn Robert daran, wie vergänglich auch ein augenblickliches Wohlbefinden sein konnte.
»Was ist nun mit diesem Brief?«, fragte er. »Übrigens hab ich heute morgen beim Training Bescheid gegeben, dass du wieder da bist.«
Die Wirklichkeit hatte Franz zurück- und eingeholt. Es war noch einiges zu tun, bis er seinen Wunsch nach Wohlbefinden mit der ihn umgebenden Realität in Einklang gebracht hatte.
»Du hast aber doch hoffentlich nichts über die Lauterbach-Geschichte erzählt?«
»Kannst ganz beruhigt sein, den Trumpf lass ich dir für dein Montag-Gespräch mit dem Präsidium. Denn da musst du deine Karten auf den Tisch legen, knallhart. Da wird nicht gekniffen, hörst du.«
Franz nickte.
»Nun lass ihn doch in Ruhe zu Ende essen«, sagte Helga. Aber Franz war der Appetit vergangen. Der Gedanke an den Montag und das, was ihm dabei bevorstand, machte ihm zu schaffen. Wenn die ihn nun einfach hinausschmissen? Was redete Robert denn da von einem Trumpf? Das konnte doch nur dazu führen, dass auch Hennes Lauterbach Ärger kriegte.

»Ich fühl mich gar nicht glücklich dabei«, sagte er. »Ist wohl alles 'n bisschen viel für mich.«
Sie aßen zu Ende und saßen hinterher in den lederbespannten Sesseln. Robert genehmigte sich eine Pfeife, Helga rauchte eine Zigarette.
»Du musst dir natürlich darüber im klaren sein, was du willst«, sagte Robert, zog heftig an der Pfeife und verbreitete eine weißliche Rauchwolke um sich. Der Tabak roch süßlich. Franz mochte den Geruch nicht. Er wusste, dass seine Kleidung gleich voll von diesem Gestank sein würde und es einiger Mühe bedurfte, den wieder herauszubekommen. Dass Leute rauchten mussten, wenn sie nachdachten, konnte Franz nicht verstehen. Er brauchte das jedenfalls nicht. »Wenn du wieder zurück in dein Kaff gehst, kannst du dort sicher als Dorfstar enden, klar. Hier musst du noch 'ne Weile an deiner Unsterblichkeit basteln.«
»Ich weiß ja noch gar nicht, was die von mir wollen. Vielleicht wollen die mir nur sagen, dass wir geschiedene Leute sind, der Klub und ich.«
»Nun mal langsam, da sind auch noch wir Spieler. So einfach ist das nicht. Die müssen uns wenigstens dazu hören. Das ist so vereinbart.«
»Bei den Spielern hab ich doch keine Chance.« Franz dachte an Toni Umbach und Bumsi Hantsch, an Backe Wangenmüller, an Hennes Lauterbach. Sie mochten ihn alle nicht. Er stellte eine ständige Gefahr für sie dar. Rückendeckung hatte er bisher nur beim Trainer gefunden, der brauchte ihn anscheinend. Und dass Robert sich mit ihm beschäftigte, lag wohl auch daran, dass er ihm nicht gefährlich werden konnte. Robert war als Mittelfeldspieler internationale Klasse, dem konnte er sowieso nicht das Wasser reichen. Nein, Franz machte sich keine Illusionen, was seine sogenannten Kollegen anging.
»Aber das geht uns alle an«, sagte Robert. »Was dir passiert ist, kann letzten Endes jedem von uns passieren. Franz, glaub

mir, lass dich bloß nicht ins Bockshorn jagen von diesen Dreimalgescheiten im Präsidium. Die haben vom Fußball ohnehin keine Ahnung. Lass dir nichts gefallen, greif sie ruhig an. Aber pass schön auf, dass du deine Trümpfe nicht zu früh auf den Tisch bringst. Sie wissen ja nichts von der Keilerei zwischen dir und dem Hennes; die glauben doch, du wärst ohne jeden Grund vom Training weggeblieben. Verkauf dich so teuer wie möglich.«

Sie redeten noch eine Weile weiter, bis Robert zum Training weg musste. Da verabschiedete sich Franz auch von Helga und Robert nahm ihn in seinem Wagen mit bis in die Stadt. »Und was den Schnüffler anbetrifft, so würd ich mir da gar keinen Zwang mehr auferlegen«, sagte ihm Robert unterwegs. »Lass ihn doch schnüffeln, soviel er will. Ihm macht's Spaß und du hast nichts zu verbergen. Wenigstens hoff ich das.« Sie lachten sich an.

Franz war nach den Gesprächen dieses Tages etwas beruhigt und er richtete sich auf ein geruhsames Wochenende ein.

Die Mannschaft spielte am Samstag in Berlin, wo es für den Klub um eine Menge ging, nachdem sie ihr letztes Heimspiel gegen Frankfurt verloren hatte. Franz grinste in sich hinein, als er daran dachte, wie er dem Grabowski die Haxen weggezogen hatte. Schade, dass das im Strafraum geschehen war. Damit hatte dann sein Unglück begonnen.

Franz wurde wieder ernst. Vielleicht hätte er am Samstag in Berlin wenigstens mit auf der Bank gesessen, wenn das nicht passiert wäre, gehörte dazu, wäre womöglich sogar zum Einsatz gekommen, wenn es zum Schluss darum ging, noch ein Tor zu machen. »Geh rein und mach ein Tor, Kleiner.« Er hörte es Wollschläger sagen und die Worte erfüllten ihn mit Stolz. Wie oft hatte er diesen Satz schon gehört und wie oft hatte er ihn wahrgemacht.

Und dann ging er hin und säbelte dem Grabowski die Beine weg. Beim ihm musste etwas ausgeklinkt sein, anders konnte er sich das nicht zusammenreimen. Jetzt musste er zum Präsidium und ganz kleine Brötchen backen. Vorausgesetzt, man ließ ihn überhaupt.

Am Montag nahm Franz den Achtzehnuhrbus und fuhr zum Klubgelände hinaus. Am Samstag hatte er sich natürlich die Bundesliga-Reportagen im Radio angehört und später die Übertragungen im Fernsehen angesehen und miterlebt, wie die Borussia in Berlin ein sogenanntes »beachtliches 2:2« erreichte, wobei Robert Monschau das erste Tor geschossen hatte.
Jetzt sah die Lage schon weit günstiger aus. Da brauchte sich die Mannschaft am nächsten Samstag zu Hause gegen die Gladbacher keine Sorgen wegen des Publikumzuspruchs zu machen. Der Klub würde ein ausverkauftes Haus haben. Die 2:3-Scharte war damit mehr als wettgemacht. Franz sah den Dingen wieder etwas hoffnungsfroher entgegen. Wenn nur nicht dieses verrückte Gespräch mit dem Präsidium wäre, wenn er es nur erst hinter sich hätte! Was hatte er da für einen Mist verzapft!
Er durchschritt das Flügeltor vor der Klubanlage mit klopfendem Herzen, lief den Asphaltweg entlang, schellte und ließ sich von Jumpertz, dem Heim- und Platzwart, die Tür öffnen. Dann stand er im marmorverkleideten Foyer und spürte seine Nervosität immer stärker werden. Jumpertz erschien in seiner Wohnungstür neben den Umkleideräumen und lächelte ihn mit geringschätzig verzogenen Mundwinkeln an. »Na, du kannst dich ja auf was gefasst machen, mein Lieber«, sagte er nur und verschwand dann wieder.
Franz zuckte die Schultern und hörte sein Herz hämmern. Armleuchter, dachte er, der hat ja keine Ahnung. Aber so wie er würde wahrscheinlich auch manch anderer aus der Klubführung ihn bereits verurteilt haben, noch ehe er sich zu dem Vorfall überhaupt geäußert hatte.
Franz stieg die Treppe hinauf. Nur ruhig bleiben, dachte er,

ganz ruhig, es kann dir gar nichts geschehen, du bist viel stärker, als die überhaupt erwarten können. Die anderen werden es sein, die dumm aus der Wäsche gucken. Die wissen doch überhaupt nichts.
Anscheinend war er zu früh da, er hörte und sah niemanden, schaute in die einzelnen Räume, aber auch dort konnte er niemanden entdecken. Schließlich ließ er sich auf einer Flurbank nieder und wartete.
Endlich hörte er unten die Tür gehen und er sah zwei Herren mit kleinen Aktenkoffern die Halle betreten und auf die Treppe zusteuern. Einen kannte er, es war Collin, der Rechtsanwalt. Sie unterhielten sich angeregt, aber nicht über Fußball. Um die hohen Herren des Präsidiums kümmerten sich die Spieler normalerweise kaum. Der Vorstand war für die Mannschaft sehr weit weg, hatte eigentlich gar nichts mit ihnen zu tun. Der war wie ein göttliches Gremium, das irgendwo in den Wolken thronte und sich nur zeitweise auf die Erde und zu den Spielern herabließ, entweder um sie zu maßregeln oder um ihnen zu schmeicheln, um abgelaufene Verträge zu verlängern.
Anscheinend hielt sich das Präsidium für den Arbeitgeber, die Spieler waren in den Augen seiner Mitglieder Angestellte, die gefälligst ihre Pflicht zu tun und Spiele zu gewinnen hatten, damit der Klub florierte. Und wenn der Klub florierte, florierte manch anderes auch, die Geschäfte der Vorstandsmitglieder beispielsweise. Denn irgendwie waren sie mit den Geschicken des Klubs fest verknüpft.
Als die Herren auf dem oberen Podest erschienen und Franz sahen, schauten sie ihn nur kurz an. Franz sagte »Guten Tag«, worauf sie mit den Köpfen nickten. Dann verschwanden sie hinter einer Tür. Kurz darauf erschien Harry Lippmann, der Präsident. Mit ihm hatte er seinerzeit jene Abmachung getroffen, die ihn Amateur bleiben und trotzdem Geld verdienen ließ. Das war schon eine sehr sonderbare Geschichte, die verstehen mochte, wer wollte.

Als Präsident Lippmann die Treppe heraufkam, stand Franz auf und grüßte, aber auch Lippmann schien ungnädig, nickte ebenfalls nur kurz und eilte an ihm vorbei auf die Tür zu, hinter der schon die beiden anderen Herren verschwunden waren. Es war inzwischen längst neunzehn Uhr geworden. Auf dem Trainingsplatz ganz in der Nähe würde die Mannschaft jetzt bald ihr Training beenden. Franz horchte und glaubte, das Geräusch von auftropfenden Bällen wahrzunehmen, ein stetiger dumpfer Laut, dazwischen das Geschrill einer Trillerpfeife. Franz wünschte sich dorthin zurück.
»Herr Schäfer«, sagte plötzlich eine Stimme vor der Tür her.
»Ja, bitte?« Das Herzklopfen stellte sich sofort wieder ein.
»Kommen Sie.«
Jemand hielt ihm die Tür auf, schloss sie wieder hinter ihm und Franz stand nun in dem Raum, dessen Wände fast vollständig mit Fotos und Wimpeln tapeziert waren. Fahnen standen in den Ecken, Pokale in Vitrinen. Der Mann, der die Tür geschlossen hatte, setzte sich zu den beiden anderen Herren hinter dem großen Tisch, Präsident Lippmann nahm den Mittelplatz ein. Franz stand ihnen gegenüber.
»Setzen Sie sich«, sagte Harry Lippmann. Franz zog sich einen Stuhl heran und nahm Platz. »Sie wissen, warum wir Sie herbestellt haben?«
»Ich kann's mir denken«, antwortete Franz.
»Dann nennen Sie uns doch einmal Ihre Version der Angelegenheit«, sagte der Herr, der links vom Präsidenten saß.
»Entschuldigen Sie«, sagte Franz und merkte an seinem Herzen, wie sehr ihn sein Vorhaben erregte, »aber ich kenne Sie leider nicht, ich kenne nur unseren Präsidenten und Herrn Collin.«
So befangen er war, er hatte nicht vor sich die Butter vom Brot nehmen zu lassen. Das hatte ihm Robert eingeschärft. »Zeig denen, dass du Selbstbewusstsein hast, zeig ihnen die Stirn. Das macht Eindruck.« Das war natürlich leichter gesagt als getan. Aber Franz wollte sein Möglichstes wagen.

Harry Lippmann räusperte sich und kam nicht umhin, den dritten Herrn vorzustellen. »Das ist«, sagte er, nach links deutend, »Herr Borsowski, unser Schatzmeister. Sie werden bestimmt schon von ihm gehört haben.«
Sicher hatte er den Namen schon gehört, es wurde ja allenthalben von ihm und Collin geredet, wenn auch nichts Gutes. Franz nickte deshalb zaghaft.
»Na schön«, sagte Rechtsanwalt Collin, »nachdem Sie nun wissen, mit wem Sie es hier zu tun haben, können Sie wohl auch uns Ihre Version der Angelegenheit sagen.«
Franz erinnerte sich, was Robert ihm für den Fall geraten hatte, dass ihm eine ähnliche Frage gestellt werden würde, und er sprach es aus: »Was wird mir denn eigentlich vorgeworfen?« Er merkte, dass er sicherer wurde.
Lippmann seufzte denn auch laut und vernehmlich. »Ich dachte, das sei hinreichend klar. Aber wie Sie wünschen, fangen wir also ganz von vorne an. Punkt eins: seit Montag der vergangenen Woche sind Sie nicht mehr zum Training erschienen. Daran gibt es ja nun nichts zu deuteln.«
»Es stimmt aber trotzdem nicht«, sagte Franz und sah, wie sich die Gesichter auf der anderen Seite des Tisches veränderten. Augenbrauen hoben sich, Stirnen kräuselten sich, Münder öffneten sich leicht.
»Das stimmt nicht?«, fragte schließlich Borsowski.
»So wie Sie es sagten, jedenfalls nicht. Ich bin am Montag sehr wohl zum Training erschienen. Ich hab mich lediglich um ein paar Minuten verspätet, sonst nichts.«
Die Herren schauten sich an, ehe Rechtsanwalt Collin sagte: »Das ist uns ganz neu, Herr Schäfer. Das müssen Sie uns schon erklären.«
»Hennes Lauterbach wird das bestätigen können, der war jedenfalls im Umkleideraum, als ich kam.«
Wieder schauten sich die Herren gegenseitig an. »Das ist wirklich eine völlig neue Situation«, sagte Lippmann.

»Das finde ich nicht.« Collin zündete sich eine Zigarre an, während er weitersprach. »Selbst wenn er am Montag tatsächlich hier gewesen sein sollte, trainiert hat er nicht, das steht fest. Und wie ist das mit den übrigen Tagen? Nicht wahr, Herr Schäfer, an den übrigen Tagen waren Sie doch wirklich nicht mehr hier? Stattdessen waren Sie ganz woanders. Ein Nest namens Reusrath dürfte Ihnen bekannt sein, nicht wahr? Sie werden nicht im Ernst bestreiten wollen, dass Sie sich während der letzten Woche dort in Kneipen herumgetrieben haben. Mit einem Mädchen, um das nicht zu vergessen, dessen Ruf nicht der Beste ist. Das wollen wir doch mal festhalten.«

Franz senkte den Kopf.

»Aber das war alles nur, weil ich am Montag beim Training war«, rief er aus und merkte, dass er drauf und dran war, sich doch noch aufzuregen. »Was sollte ich denn machen? Der Hennes hat mich ja dazu gezwungen.«

»Nun mal langsam und der Reihe nach«, sagte Lippmann. »Sie platzen mit immer anderen Neuigkeiten heraus. Der Mannschaftskapitän soll Sie also dazu gezwungen haben, nach Reusrath zu fahren und sich da mit dieser Frau einzulassen. Na, wissen Sie, Herr Schäfer . . .« Lippmann lächelte.

»So natürlich nicht.« Franz wusste nicht, wie er sich verständlich machen sollte. »Aber es lief dann einfach so ab, eins kam zum anderen.«

»Was geschah denn nun zuerst?«, fragte Borsowski. »Sie kamen zum Training und trafen Hennes Lauterbach. So weit sind wir. Was passierte dann? Schickte er Sie weg, oder was?«

»Wir haben uns geschlagen«, sagte Franz, ohne aufzusehen.

»Sie haben was?«, rief Lippmann.

»Er hat mich gereizt, bis aufs Blut hat er mich gereizt. Dass ich der Mannschaft die Prämie versaut hätte, Backe Wangenmüller den Platz weggenommen hätte und so weiter, und dann hab ich plötzlich einfach hingelangt. Ich konnt's nicht mehr mit anhören. Dauernd hackt er auf mir herum. Von Anfang an, seit

ich im Kader bin. Da hab ich rotgesehn, ich weiß auch nicht genau, wie es passierte. Danach bin ich abgehauen. Ich wusste nicht mehr, was ich tun sollte. Die schlechten Kritiken, dann die Kameraden, schließlich sogar noch der Kapitän. Das war einfach zuviel. Da hab ich wahrscheinlich durchgedreht.«
Die Herren schauten betreten drein und schwiegen. Schließlich sagte Lippmann zögernd: »Davon wissen wir aber wirklich nichts, Herr Schäfer. Oder weiß einer der Herren . . .« Die Herren schüttelten die Köpfe.
»Das kann ich mir denken«, sagte Franz und fühlte sich schon etwas wohler. »Davon hing ja auch für den Hennes einiges ab. Deshalb ließ er mich laufen und beobachten.«
»Beobachten?«, fragte Borsowski. »Das wird ja immer schöner. Nun rücken Sie aber gefälligst endlich mit allem heraus, was Sie noch auf Lager haben. Das hört sich ja an, als sei da eine regelrechte Mafia am Werk.«
»So wird sie ja auch in der Mannschaft genannt«, Franz trumpfte nun auf, da er spürte, wie sich das Blatt zu wenden begann.
»Wer hat Sie denn beobachtet?«, fragte Rechtsanwalt Collin und vergaß schon seit Minuten, an seiner Zigarre zu ziehen.
»Der Hausmeister aus unserem Hochhaus«, antwortete Franz. »Der war ständig hinter mir her. Ich hab ihn gesehen. Von dem haben Sie ja all die Sachen, die Sie mir jetzt vorwerfen.«
»Ich glaube«, sagte Lippmann, »es ist eine etwas veränderte Situation eingetreten. Darüber müssen wir erst einmal intern beraten. Wenn Sie so freundlich sein wollen, Herr Schäfer?« Dabei machte er eine deutende Geste zur Tür. Franz verstand und erhob sich, nickte kurz und ging nach draußen.
Jetzt hatte er denen endlich was zum Überlegen gegeben, jetzt hatte er alle seine Trümpfe ausgespielt und nun mochten sie zusehen, wie sie damit fertig wurden. Auch Hennes Lauterbach. Der nun würde Farbe bekennen müssen. Franz spazierte im Flur auf und ab, verschränkte die Hände auf dem Rücken.

Er würde nicht klein beigeben, er wollte sich so teuer wie möglich verkaufen.
Plötzlich hörte Franz unten die Eingangstür gehen und als er hinabschaute, sah er Hennes Lauterbach und Max Wollschläger das Foyer betreten. Ihre Gesichter drückten Ernst und Sorge aus, Unmut; Wollschläger schien wütend zu sein, rannte voraus, Lauterbach kam kaum mit. Sie stiefelten die Treppen hinauf, Lauterbach noch in den Trainingssachen und mit Fußballschuhen an den Füßen.
Dann sahen sie ihn und Wollschläger polterte los: »Was veranstaltest du denn hier für einen Zirkus?«, wartete aber keine Antwort ab, sondern stürmte in das Vorstandszimmer, Lauterbach in seinem Windschatten, ohne Franz eines Blickes zu würdigen. Die Tür schloss sich hinter beiden mit Gedröhn.
Franz spitzte die Ohren. Wieder hatte er ein Gefühl, als hüpfte ihm sein Herz zum Mund heraus. Leider hörte er nur erregtes Stimmengemurmel hinter der Tür, einmal vernahm er das laut gebrüllte Wort »Sauerei«, doch er wusste ja, wovon die Rede sein würde. Endlich öffnete sich die Tür wieder und er wurde hereingerufen. Da saßen sie nun alle, das Präsidium und Wollschläger auf der einen, Hennes Lauterbach wie ein Angeklagter allein auf der anderen Seite. Franz durfte sich zu ihm setzen, ließ aber zwischen sich und dem Mannschaftskapitän einen Stuhl frei.
»Ich setzte voraus, meine Herren«, sagte Lippmann, »dass dies alles unter uns bleibt. Kein Wort davon zur Mannschaft, zur Presse oder auch egal wem, zu niemand also. Kann ich mich darauf verlassen?«
Die Männer nickten. »Gut«, fuhr der Präsident in seiner steifen Art fort, »dann wollen wir Folgendes festhalten: Es hat zwischen Ihnen beiden«, er deutete mit dem Kopf hinüber zur anderen Tischseite, wo Franz und Lauterbach saßen, »eine Handgreiflichkeit gegeben. Sie, Herr Schäfer, sind vier Tage nicht zum Training erschienen. Sie, Herr Lauterbach, haben

nichts unternommen, die Angelegenheit aufzuklären, obwohl es Ihnen möglich gewesen wäre. Ich stelle daher fest, dass Sie beide gegen Ihre Pflichten aus Ihren Verträgen verstoßen haben. Das ist die Situation. Möchte noch jemand etwas dazu sagen?« Sie schwiegen. »Das ist nicht der Fall. Wir werden nun darüber beraten, wie die Angelegenheit beurteilt werden muss und welche Folgerungen wir daraus zu ziehen haben. Klar ist nur eines: Herr Lauterbach übt ab sofort sein Amt als Mannschaftskapitän nicht mehr aus. Die Mannschaft wird einen neuen Spielführer wählen. Das wär's. Sie können gehen. Über das Ergebnis unserer Beratungen werden wir Sie zu gegebener Zeit informieren.«

Franz war wie vor den Kopf geschlagen. Man konnte ihn doch nicht so einfach sitzen lassen. Er hatte den Beruf aufgegeben, nur um sich ganz dem Fußball widmen und entsprechende Leistungen bringen zu können. Er besaß fast keinen Pfennig mehr. Er wollte sofort wieder zum Training zugelassen werden, er wollte in den Kader zurück und an den Prämien beteiligt sein. Er würde noch besser als bisher sein, er wollte ja alles tun, um seinen Fehler wieder gutzumachen. Aber da saßen vier Herren auf der anderen Seite des Tisches und behandelten ihn wie einen Verbrecher vor dem Tribunal, dem man das Urteil in die Zelle schicken würde.

Lauterbach war längst aufgestanden, mit hängendem Kopf bewegte er sich langsam auf die Tür zu. Wollschläger schaute mit mürrischem Gesicht zum Seitenfenster hinaus. Nur er, Franz, saß da, als wolle er nicht begreifen, was man ihm gerade bedeutet hatte: er könne gehen. Und da brach es aus ihm heraus: »Was soll ich denn jetzt machen? Was passiert jetzt mit mir? Darf ich wieder zum Training, oder bin ich ausgeschlossen? Gehöre ich noch dazu oder nicht?«

Irgendwo in seinem Inneren stiegen Tränen auf und er hatte alle Mühe, sie zurückzuhalten. Ein Junge weint nicht und ein Fußballprofi schon gar nicht. Und er schluckte sie, wie immer,

hinunter, hatte auch aufgehört zu reden, saß nur noch da, als erwarte er jetzt und hier sein endgültiges Urteil.
»Das alles hätten Sie sich schon früher fragen sollen«, sagte Rechtsanwalt Collin.
»Moment mal«, polterte in diesem Augenblick Wollschläger los. »Ihnen ist wohl überhaupt nicht klar, dass der Junge eben achtzehn Jahre alt geworden ist!«
Franz wäre ihm am liebsten vor Dankbarkeit um den Hals gefallen.
»Natürlich hat er Scheiße gebaut, aber das weiß er selbst am besten. Ich glaube, das Präsidium hat die moralische Verpflichtung, solchen Jungen Hilfe zu leisten und sie nicht noch tiefer in den Mist zu stoßen. Das ist meine Meinung. Lauterbach ist ein anderer Fall. Der verdient seine Brötchen. Der Kleine aber nicht. Ihr könnt ihn ja bestrafen, das hat er vielleicht auch verdient, aber lasst ihn nicht hängen.«
Eine Weile herrschte Schweigen, bis Harry Lippmann sich räusperte und sagte: »Tja, meine Herren«, und er zuckte hilflos mit den Schultern, schaute sich nach seinen Präsidiumskollegen um. Doch die sahen auf ihr Limo- oder Bierglas, als seien sie gar nicht beteiligt. »Ich glaube«, fuhr der Präsident endlich fort, »Max hat Recht. So geht das wohl doch nicht. Hat jemand von Ihnen einen anderen Vorschlag?« Wieder Schweigen.
»Wie ist es denn damit«, sagte endlich Wollschläger in die betretene Runde hinein, »der Kleine geht als erstes morgen Früh wieder in sein Kaufhaus, tut seine Arbeit, macht seine Lehre zu Ende. Sie, Harry, reden mit seinem Chef und bringen das in Ordnung, damit da nichts schief geht. Es muss aussehen, als wäre er nie weggewesen. Auch was seine Prüfung angeht, muss man ihn unterstützen. Das zunächst. Was seine Fußballkarriere angeht, werden wir mal abwarten. Irgendwo steht da ja schon die Bundeswehr im Hintergrund. Über kurz oder lang wird er gemustert werden und einrücken müssen. Das alles, Prüfung und Bundeswehr, soll er erst mal abmachen.«

»Ein diskutierbarer Vorschlag«, sagte Harry Lippmann. »Aber ich will doch Fußballprofi werden!«, rief Franz voller Verzweiflung.
»Natürlich«, sagte der Präsident, »Sie sind ja auf dem besten Weg dazu. Sie haben verschiedentlich sogar schon den Beweis dafür geliefert, was in Ihnen steckt und dass Sie das Zeug dazu haben. Ich bin auch der Meinung, Sie sollten eine kleine Pause einlegen, wenigstens bis Sie mit der Lehre fertig sind. Dann sehen wir weiter. Bis dahin können Sie in unserer Amateurmannschaft spielen, die brauchen so gute Leute wie Sie. Trainieren werden Sie dann eben nur noch zweimal die Woche. Sie konzentrieren sich zunächst einmal ganz auf Ihren Beruf. Ist das nun ein Vorschlag oder nicht? Das Zimmer und den Zuschuss bezahlen wir übrigens weiter. Überlegen Sie's sich. Ich denke, ich habe dafür die Zustimmung des Präsidiums.«
Die Herren nickten, ohne aufzusehen.
Franz wusste nicht, was er sich noch überlegen sollte. Man setzte ihm die Pistole auf die Brust. Er wurde gar nicht gefragt, man redete über seinen Kopf hinweg, diskutierte Vorschläge, die allesamt darauf hinausliefen, ihn aus dem Kader zu boxen. Und nicht nur das: selbst aus dem Kreis der Bundesligamannschaft schob man ihn mit sanfter Gewalt. Da mochten die Herren reden, wie und was sie wollten, auch der Trainer mit seiner honigsüßen und alle Pferdefüße verzuckernden Version: er war draußen. Nichts mehr war übrig geblieben vom Berufsfußballer Franz Schäfer, gar nichts. In der Amateurmannschaft sollte er spielen, seine Bundeswehrzeit abmachen, die noch gar nicht spruchreif war, weil man ihn bisher noch nicht einmal gemustert hatte. Und überhaupt: er kannte genügend andere Fußballspieler, Profis, die trotz ihrer Bundeswehrzeit im Kader blieben und Samstag für Samstag spielten. Da gab es Sportkompanien, da war so manches möglich.
Und dann sein Beruf. Natürlich wollte er endlich damit fertig werden. Diese Ausbildung so kurz vor ihrem Abschluss auf-

zugeben, hätte nur einen Sinn, wenn er Fußballprofi werden könnte, wenn er im Kader bliebe. Aber so? Das Kaufhaus hatte ihm überhaupt nicht gefallen. Dann schon lieber beim Kirschbaum in Höhe, da hatte er sich selbst als Lehrling wie ein kleiner König fühlen dürfen. Dort drüben, in Schmalkotten und Höhe, sah alles so klar und einfach aus. Karin schwebte wie eine Märchenfigur an seinem inneren Auge vorbei, seine Freunde aus der Mannschaft: Nobby, verdammt, war das ein lustiger Verein, Kalla und Manni.
Eine Art Sehnsucht überfiel ihn, die Sehnsucht nach dem überschaubaren Leben auf seinem Dorf. Auch da gab's natürlich Ränke und Eifersüchteleien, aber die konnte er einschätzen. Hier brachte er das nicht fertig, hier war er ihnen fast hilflos ausgeliefert.
Und Robert? Mein Gott, Robert, dachte Franz, der wiegt doch nicht die anderen fünfzehn Armleuchter auf, Wollschläger eingeschlossen und dieses ganze verrückte Präsidium, alle nur auf ihren Vorteil bedacht. Man mochte ihn nicht, den »Kleinen« vom Dorf, der über keine Lobby im Verein oder in der Mannschaft verfügte. Das könnte denen so passen: in der mickrigen Amateurmannschaft zu spielen. Er hatte mit um eine deutsche Meisterschaft gespielt, er war wer, da konnten diese Leute wie Lauterbach oder Wangenmüller gar nicht mitreden. Die konnten ihm nicht mal das Wasser reichen.
Und Wollschläger erst, der »Iwan«: ausgenutzt hatte er ihn, für seine Zwecke hatte er ihn eingespannt, um dem Wangenmüller Beine zu machen; dafür war er gerade gut genug gewesen. Wie Schuppen fiel es ihm von den Augen. Und als er einen Fehler machte, ließ man ihn einfach fallen wie eine heiße Kartoffel. Weggeschmissen hatte man ihn, abseits stehen lassen. Auch Robert. Da nutzte es ihm nicht viel, ihn aus diesem Reusrath rausgeholt zu haben und ihm den Freund vorzuspielen. Ein schlechtes Gewissen hatte der, nichts anderes.
Franz war drauf und dran, aufzuspringen und dem Präsidium

seinen geheiligten Plunder um die Ohren zu schlagen, diese Pokale und Wimpel und Fotos, diesen Ramsch, der irgendeine Tradition andeuten sollte, die es nicht mehr gab. Hier zählte nur noch das Geschäft! Keine Kameradschaft, nicht mal die Kollegenschaft gab es hier.

Weg, dachte Franz, du musst weg.

Langsam erhob er sich von seinem Platz, an dem er ein paar Sekunden lang wie versunken gesessen hatte, während sich die Herren des Präsidiums schon zu einem erregten Plausch in eine Ecke des Raumes zurückgezogen hatten. Als er sich umwandte, sah er Hennes Lauterbach mit gesenktem Kopf an der Tür stehen. Auch er war am Ende seiner Karriere als Fußballspieler, auch er hatte einen Fehler gemacht. In diesem Geschäft wurden Leute ohne Rückgrat benötigt, biegsame Leute, Leute, die dem Trainer ins Konzept passten, austauschbare Leute oder zumindest veränderbare Leute.

Franz bewegte sich auf die Tür zu. Was sollte er noch hier, wo sich anscheinend niemand mehr für ihn zuständig fühlte, sich niemand mehr um ihn kümmerte? Das Urteil war gesprochen: er sollte seine Lehre machen und seine Bundeswehrzeit abreißen. Abgeschoben. Das kriegte er bei sich zu Hause billiger. Morgen würde er hinfahren, egal was man in Schmalkotten über ihn reden würde. Das erschien ihm jetzt das kleinere Übel. Man brauchte nicht unbedingt ein Bundesligakicker zu sein, um ein großer Fußballspieler zu werden. Besser anderswo ein Star als hier ein Wasserträger.

In diesem Augenblick kam Wollschläger um den Tisch geschossen. »Kleiner!«, rief er. »Wart 'nen Augenblick.« Und schon war er bei ihm, legte sogar seinen Arm um seine Schulter, väterlich. »Lass bloß den Kopf nicht hängen. Nimm den Vorschlag an, sag ich dir. Du hast immer noch reelle Chancen, wieder in die Mannschaft zu kommen.«

Franz blieb stehen und schaute den Trainer an, sah in dessen grinsendes Gesicht, sah auf die aufgeworfenen Lippen mit den

sich abzeichnenden schlechten Zähnen, die harten Augen: ein Abbild dieses ganzen miesen Geschäfts, dem Franz einfach nicht gewachsen war. Jedenfalls jetzt noch nicht.
»Lassen Sie mich gehen«, sagte er leise und machte eine Bewegung mit den Schultern, die Wollschläger gleich richtig deutete, denn er nahm den Arm sofort herunter. Vielleicht hatte es ihn sowieso Überwindung gekostet, soviel Vertraulichkeit zeigen zu müssen einem Jungen gegenüber, der ihm sein Konzept durcheinandergebracht hatte; sein schön durchdachtes, sehr rationales Konzept von einem jungen ehrgeizigen Spieler, der den alten Hasen wieder auf die Beine half, zu mehr war er nicht zu gebrauchen, vorerst, und der jetzt einfach gesagt hatte: »Lassen Sie mich gehen«, ruhig und besonnen, wie es schien und dem er nichts entgegenzusetzen hatte außer der Frage: »Wie soll ich das nun verstehn?«
»Sie werden's schon noch begreifen«, antwortete Franz.
»Und was soll das sein?«, fragte Wollschläger, sichtlich erstaunt. Aber Franz befand sich schon an der Tür, an der Hennes Lauterbach lehnte und dem Schauspiel folgte, das ihm dort geboten wurde, auch er mit aufgerissenen Augen. Franz drückte die Klinke hinunter und öffnete die Tür einen Spaltbreit.
»Ich bin's satt«, sagte Franz, »bis hierhin.« Und er fuhr mit der freien Hand an den Hals. »Ich geh nach Hause.« Er wusste plötzlich, wo das war: zu Hause.
Die Herren in der hinteren Ecke des Raumes waren aufmerksam geworden, Rechtsanwalt Collin hielt eine unangezündete Zigarre in der Hand, alle schauten herüber, als vermöchten sie nichts von dem zu begreifen, was sich da in einiger Entfernung von ihnen vollzog. »Was gibt's denn?«, rief Collin, der Rechtsanwalt und Lizenzspielerobmann.
»Wissen Sie, was der Kleine gerade gesagt hat?«, fragte Wollschläger, theatralisch lachend. »Ich geh nach Hause, hat er gesagt. Stellen Sie sich das vor.«
»Tu ich auch«, bekräftigte Franz. »Ihr seht mich hier nicht

wieder. Nur ausgenutzt habt ihr mich und wenn ich nicht höllisch aufpasse, macht ihr mich auch noch kaputt. Da geh ich lieber nach Hause.« Er ging durch die Tür und schloss sie hinter sich, stand nun auf dem Podest und machte die ersten Schritte in Richtung Treppe, in die Unabänderlichkeit seiner gerade getroffenen Entscheidung.

Hinter ihm, hinter der Tür herrschte Stille und Franz konnte sich vorstellen, wie sie dastanden und die verschlossene Tür anstarrten, schließlich sich gegenseitig, in den Blicken die unbeantworteten Fragen. Dieses Bild gefiel Franz und er ging die Treppe hinunter.

Morgen wäre er zu Hause, morgen sähe alles wieder ganz anders aus, morgen wäre er da, wo er hingehörte. Und denen da oben, denen hatte er es zum Schluss doch noch gezeigt. Franz lächelte. Was ihn selbst betraf, so war er voller Zuversicht. Schlimmer als hier konnte es gar nicht mehr werden. Er erreichte die Klubheimtür, stieß sie auf und trat hinaus.